LA MISTERIOSA DESAPARICIÓN
DE LA MARQUESITA DE LORIA

JOSÉ DONOSO

LA MISTERIOSA DESAPARICIÓN DE LA MARQUESITA DE LORIA

BIBLIOTECA BREVE
EDITORIAL SEIX BARRAL, S. A.
BARCELONA - CARACAS - MÉXICO

Diseño cubierta: Josep Navas

La ilustración de la cubierta pertenece a Rafael de Penagos y originariamente apareció en la revista *La Esfera*, donde se publicaron asimismo las demás ilustraciones que se incluyen en el libro y de las que son autores, además del mencionado artista, Federico Ribas, José Zamora y Varela de Seijas.

Primera edición: abril de 1980
Segunda edición: abril de 1981

© 1980 y 1981: José Donoso

Derechos exclusivos de edición
reservados para todos los países de habla española:
© 1980 y 1981: Editorial Seix Barral, S. A.
Tambor del Bruc, 10 - Sant Joan Despí (Barcelona)

ISBN: 84 322 0364 5
Depósito legal: B. 10.965 - 1981

Printed in Spain

Once again to Zelda

CAPÍTULO UNO

La joven marquesa viuda de Loria, nacida Blanca Arias en Managua, Nicaragua, era la clásica hija de diplomáticos latinoamericanos, de aquellos que tras una gestión tan breve como vacía en Madrid no dejan otro rastro de su paso por la Villa y Corte que una bonita hija casada con un título. Al caer el exótico régimen que exportó a Arias, éste se vio obligado a regresar a la patria que fugazmente lo había encumbrado, para cumplir allá un capítulo más de su oscuro destino.

Blanca se secó las lágrimas vertidas copiosamente en el momento de la separación de los suyos porque era muy mimada por ser la mayor y la más graciosa. Sin embargo, al poco tiempo de la partida de sus padres, se había convertido ya en una europea cabal, sustituyendo esos ingenuos afectos por otros y olvidando tanto las sabrosas entonaciones de su vernáculo como las licencias femeninas corrientes en el continente joven, para envolverse en el suntuoso manto de los prejuicios, rituales y dicción de su flamante rango. Estos, Blanca lo sabía pese a sus escasos diecinueve años, constituían sólo una vestidura distinta —en el fondo todo había sido tan fácil como descartar un huipil en favor de una túnica de Paul Poiret—, vestidura bajo la cual nada costaba ejercer otras libertades que, a condición de acatar ciertas reglas, toda dama civilizada, como ella lo era ahora, tiene derecho a ejercer.

Blanca se complacía en prepararse para ejercerlas bajo la coraza del elegante pero estrictísimo luto que por el momento no le permitía ni un ribete de raso ni un bies de seda. Esto le proporcionaba una especie de tregua para que desde el baluarte de su espléndida viudez, protegida por las rejas de las ventanas de su palacete, oteara el horizonte con el fin de elegir acertadamente aquello que más placer podía procurarle. Era joven, era rica, era hermosa: tenía tiempo de sobra para hacer las cosas bien. Y mientras en su languidez se preparaba para ello ningún ojo intruso, ni el de la marquesa madre, tenía acceso a su alcoba de raso color *fraise ecrasée* para espiar su entrega a vagas ensoñaciones y roces practicados desde la infancia como ejercicio de su propia libertad, como afirmación y disfrute de sí misma. Estos retozos se prolongaron, en esencia sin dejar de ser lo que siempre habían sido, a lo largo de los cinco meses que duró su matrimonio con el opulento pero inexperto marquesito de Loria, cuyo lamentable fallecimiento se debió a una difteria atrapada a la salida de un lluvioso baile de carnaval al que asistió desacertadamente disfrazado de Ícaro.

Blanca no conocía a otro hombre. Al salir del colegio de monjas donde la educaban subió casi directamente al altar. Pero no sería verídico asegurar que sus cinco meses conyugales le descubrieron —como era de suponer debido a su cuidadosa educación, impartida tanto por las negras del trópico como por las monjas de España— apetitos desconocidos para ella: si queremos ser rigurosos hay que precisar que Blanca había jugado con estos apetitos desde siempre, con primas y amiguitas, especialmente durante las siestas tórridas de las vacaciones en los amplios caserones de las tierras familiares del Caribe. Sin embargo jamás se equivocó, dándose cuenta de que sólo se trataba de ejercicios preparatorios para lo verdadero: el futuro sin duda le reservaba esa plenitud porque jamás dudó de su propia belleza, y por ser bella, lo sabía muy bien, tenía derecho a lo mejor en todo. Antes de su matrimonio era una niña. Esos cinco meses, mal que mal, la convirtieron en mujer. Pero no porque Paquito Loria resultara un amante diestro: flaco, pálido, de tez transparente donde destacaban fatigadas ojeras, poseía, sin embargo, la pecaminosa fantasía nacida de agotarse noche tras noche en la soledad de su lecho en un internado de curas.

En el transcurso del baile en que la parejita se conoció, en un momento quizás calculadamente torpe del *cake-walk*, Blanca de pronto tomó conciencia de atributos tan bien proporcionados como férreos en el hasta ese instante aburridísimo marqués. Sin duda fue el satinado de sus lindos brazos de criolla, o la ligereza de su talle libre de ballenas que las manos del muchacho palparon entre los pliegues de la resbaladiza seda lo que pusieron en evidencia las cualidades de Paquito. Y Blanca, para su capote, se dijo cuando al segundo *fox-trot* se dio cuenta que los atributos del marqués habían crecido hasta convertirse en algo seguramente insuperable:

—Es lo que he soñado toda mi vida.

Deslizándose en el siguiente *fox*, boquiabierta de admiración como frente a un monumento, codiciosa como frente a una obra de arte, Blanca concluyó:

—Lo quiero para mí.

No le costó gran trabajo conseguirlo. Paquito, igual que Blanca, venía saliendo del colegio, y el talle de esta exótica flor que exhalaba tan perturbador perfume fue, en buenas cuentas, lo primero diferente a sí mismo que sus anhelantes manos encontraron. Su madre, la marquesa viuda, era una imponente señorona de casi cuarenta años. Pasaba parte de los inviernos en París y hablaba francés con acento sevillano, y castellano, por cierto, con acento francés. Como es natural, intentó oponerse a esta insignificante boda del lelo de su hijo, que ahora ostentaba el título y que el día menos pensado podía darse cuenta de que era su derecho disponer de la cuantiosa fortuna de la casa de Loria. En lo que se refería a ella, su marido le había legado —y no era más que otra de sus cobardes venganzas—, una pensión que, hablando mal y pronto, era una porquería.

Durante las visitas del joven marqués al piso de los acogedores diplomáticos que no se daban cuenta que corrían el riesgo de perder a una hija —o se resignaban a perderla puesto que disponían de otras cuatro beldades que iba a ser necesario colocar—, Blanca daba su elemental batalla en el rincón turco de la Residencia, sobre un canapé cuajado de cojines, el pebetero exhalando aroma de almizcle. Trabados por corpiños que defendían ansiosos senos, por camisas almidonadas que se resquebrajaban con la incomodidad de ciertas efusiones, por chalecos de piqué rasgados en un momento de pasión, por botones de polainas enredados en encajes cuando las bocas de ambos se hundían en sus anatomías, malamente disimulados por el último número de *La Esfera* o el tomo de narraciones de Hoyos y Vinent que fingían leer para engañar a los padres o a las hermanas envidiosas y fisgonas, conocieron milímetro a milímetro sus mutuas topografías sudadas de miedo y anhelo, el vaho caluroso de sus vértices vegetados, sus hendiduras y protuberancias hinchadas de amor, mientras sus bocas golosas se llenaban una y otra vez, sin saciarse jamás, con las fragantes carnes del otro. Se consolaban de que las circunstancias no fueran propicias para pasar más allá diciéndose que era todo un estupendo simulacro para que cuando llegara el momento en que el amor total pudiera atravesarlos, tanto amago realzara lo que sin duda sería un asombroso premio.

Al acercarse el cumpleaños de su amada, Paquito le rogó a su madre que se dignara hacerle una atención a su amiga Blanca Arias. ¿Pero qué atención, por Dios?, clamó al cielo la marquesa viuda. Ella no conocía a esa gente. Les había dado su enguantada mano sólo una vez, cuando Paquito le presentó a la familia completa —Casilda Loria no titubeó de calificarlos de *insortables* cuando más tarde su hijo le solicitó su opinión— durante el transcurso de una comida-jazz de beneficencia en el Palace. ¿Qué era lo que le estaba exigiendo su hijo? ¿No bastaría que le mandara un ramo de flores, una caja de confites de violeta?

¿Qué más podía hacer si no estaba dispuesta a enredarse con esa gente?

—Que los invites a nuestro palco en el Real.

Casilda Loria, irritada ante la utilización del posesivo al que por primera vez y evidentemente como medio de coerción echaba mano su hijo, dirigió su respuesta no a él sino a su gran y buen amigo el conde de Almanza, un *sportman* familiar de la casa, a la que lo unía un vago parentesco andaluz, y que lucía arriscados mostachos parecidos a los del laureado poeta don Eduardo Marquina:

—¿No te parece una tragedia tener un hijo tan redomadamente imbécil? ¿Crees justo que, siendo como he sido la más sacrificada de las madres, Paquito me exija que haga el papelón de lucirme una noche de abono en el Real con una gorda emperifollada como cocinera de fonda en Domingo de Ramos, y él, lustroso y negro como piano de cola? Además, esa noche dan *Lohengrin*, una ópera difícil, y debo confesar que algo aburrida, que ellos no serán capaces de apreciar. No comprendo de dónde habrá sacado esa chica su piel tan clara, su belleza...

—¡Ah! ¿Entonces la reconoces...?

A Casilda no le gustaba hablar directamente con Paquito, que, según ella, era frío como masa sin hornear y tenía un permanente olor a desayuno de internado en el aliento: lo dejó con la pregunta en la boca al salir de paseo con Almanza para estrenar el Isotta-Fraschini.

Bajando la escalera de mármol del palacete que peligraba terminar en manos de esa advenediza, mientras que el sol atravesaba las garzas de los vitrales iba cambiando los colores de su estilizado rostro, atento, como de costumbre, a los sabios consejos de su amigo, Casilda se fue dando a la razón: que no fuera tonta, le decía Almanza, al fin y al cabo eran las perras de Paquito, ya mayor de edad, las que pagaban el nuevo coche y el mecánico italiano con gorra y polainas. Por suerte Paquito era totalmente lelo, y si se casaba pasaría mucho tiempo absorto en Blanca —el conde utilizó el vernáculo "encoñado" sin que la altiva marquesa siquiera pestañeara—, de modo que tardaría mucho en interesarse por averiguar con don Mamerto Sosa, el notario de toda la vida que corría con los asuntos de los Loria y que solía ponerse pesado, a quién pertenecía el derecho legal de abrir y cerrar la bolsa de la familia. Tenían tiempo de sobra para buscar soluciones. Que Casilda no se preocupara. Blanca, por otra parte, era sola, o casi sola, porque dada la fragilidad de los regímenes políticos americanos sus padres partirían pronto, sin dejar a nadie que velara por ella. ¡Qué peligroso sería, en cambio, si a Paquito se le ocurriera enamorarse de una de las siete hijas de

Pepe Manzanares, por ejemplo, que tenía en la punta de los dedos el monto del capital y los réditos de las fortunas de toda la grandeza de España! Que los dejara entretenerse, pronunció el conde. Ya tendrían tiempo de hacerle una zancadilla al estúpido de don Mamerto para que lo dispusiera todo para ventaja de ellos dos antes que el chiquillo despertara. En todo caso, si Casilda prefería no lucirse por ahora con esos diplomáticos insignificantes, era facilísimo arreglárselas para que la concurrencia del Real se diera cuenta que se trataba de invitados de Paquito —que tenía edad de sobra para hacerse cargo de compromisos como éste—, no suyos: él, personalmente, se encargaría de que trajeran champán rosado, del más dulce, en el momento oportuno. Eso, por ahora, bastaba. Más tarde, claro, podía venir el trago amargo de la boda misma. Él no pretendía que iba a ser fácil neutralizar a esa gente que parecía recién bajada de los árboles. ¿Pero para qué adelantarse tanto?

—¿De dónde habrá sacado su belleza esta criatura...? —musitó el conde de Almanza, y cubriendo las rodillas de la marquesa viuda y las propias con su chal de pieles golpeó el cristal que los separaba del mecánico para que hiciera arrancar el coche.

—Su madre es evidentemente una cualquiera,

aunque ya jubilada —opinó Casilda—. La chiquilla debe ser hija de algún marinero norteamericano borracho de paso por un puerto del Caribe...

La noche de la invitación, la marquesa de Loria recibió al diplomático, a su esposa y a su hija en el antepalco, donde nadie los veía. Sí, se dijo Casilda: la chiquilla era soberbia y pasaría el escrutinio en cualquier parte, con sus grandes ojos redondos como de monito vivaracho, los labios fruncidos y frutales, los dientes fuertes, albos, húmedos. Sus brazos, torneados como por un maestro, arrancaban de la perfección de axilas secretas apenas reveladas por el rebaje del vestido escotado y sin mangas. Pero las piernas eran un tris cortas. Era, no obstante, un animalito fresco y fragante que le daría buen trabajo a su hijo, aunque su figura algo *potelée* —lo que el tiempo y la molicie agravaría— jamás alcanzaría un auténtico *chic*. Tenía buen gusto el chiquillo. Heredado, claro, de su madre: bastaba mirar a Almanza.

En cuanto se apagaron las luces y comenzó el Preludio del primer acto, Casilda invitó a los dos Arias mayores a instalarse junto a ella en la primera fila del palco. Detrás de su mami se sentó Blanca, y detrás de ella, arrimando su silla e inclinándose sobre su antebrazo apoyado en el respaldo de la silla de su amada, Paquito le señalaba cosas en el programa. En el fondo más oscuro del palco se dejó caer el conde de Almanza gruñendo que se disponía a dormir: destestaba a Wagner porque gritaban tanto y además en alemán.

Cuando se alzó el telón sobre un claro de bosque junto a un río de Brabante, Paquito se inclinó al oído de Blanca para ir explicándole en voz muy baja lo que transcurría en escena: Ortruda y Telramondo eran muy malos, cosa evidente desde el comienzo pese a que Ortruda no abría la boca en todo el primer acto, y Elsa, porque era muy guapa y porque iba vestida de blanco, era muy buena, esperando que ante las acusaciones de sus perversos tíos acudiera algún caballero para defender su honra en el Juicio de Dios. Junto a los labios del marquesito la oreja de su amada era nívea, apenas sonrosada como el más delicado capullo, y hablándole, Paquito no pudo resistir la tentación de arriesgarse a besarle el lóbulo. Ortruda se puso de pie con ademán furioso, pero como su furia no era provocada por lo que él acababa de hacerle a Blanca, que nadie pudo ver —Casilda demasiado ocupada en esconder su rostro tras el abanico; la diplomática demasiado extasiada ante los brillantes de Elsa que, según le acababa de informar Almanza, eran regalo de un connotado político conservador; y el Ministro demasiado ufano con el relumbre de sus condecoraciones—, Paquito osó recorrer, rozándolo con la punta de la lengua, ese laberinto de carne fresca que no tardó en entibiarse, recibiendo en sus papilas el estremecimiento con que Blanca acogía su caricia: el marqués estaba seguro, porque la conocía, que nada, ni un parpadeo, delataría su placer. Con la mano sin programa —oculta entre la sillita dorada y la partición entre los palcos— acarició, primero, las varillas del respaldo de la silla de su amada, hasta abajo, hasta el asiento, y allí, después de posarse unos angustiosos segundos en la seda granate, se introdujo entre ésta —muy suavemente— y el sublime trasero de Blanca. Al comprobar que, como si lo esperara, ella no daba ni un respingo, sobó y resobó la misteriosa ensenada que separaba sus nalgas. Pero las yemas de sus dedos, ansiosas de carne viva, rodearon morosamente la cadera, arrastrándose, después, sobre el *satin duchesse* del vestido a lo largo del muslo aceptante. Más que aceptante, percibió Paquito: Blanca presionaba su mano con ese muslo, ofreciéndole el tierno animalito que lo aguardaba agazapado entre ese muslo y el otro, allá en el fondo al que era necesario llegar mientras las arias de amor incomparable se sucedían unas a otras en escena: debía alcanzar el borde de la cortísima falda. Sin moverse, sin que cambiara la atención de su rostro semisonriente que reflejaba los luminosos pormenores de la escena, Paquito estiró su brazo un poco más, sintiendo estremecerse a su amada al encerrar con su mano su rodilla, y más aún al hurgar en la corva caliente, que ella aprisionó flexionando su pierna y apretándosela con la pantorrilla. Al sincronizar este apasionado movimiento secreto con un elegante movimiento público, Blanca cogió el programa que Paquito sostenía con su mano libre y tras estudiarlo brevemente lo dejó caer abierto sobre su falda para proteger la mano del marquesito que indagaba con demasiada audacia bajo su vestido, rebasando la liga, llegando por fin a la ansiada piel del muslo para incursionar más arriba, allí donde aparecía esa primera vegetación en que demoró sus caricias. No avanzaría más, se dijo: que Blanca, enloquecida, le rogara, le exigiera mediante un movimiento del muslo a que se atreviera a avanzar hasta la exquisita meta. En el momento de la llegada del cisne por el agua de cartón, Casilda miró orgullosa —como si fuera propietaria de toda la utilería— a Blanca. Descubrió tal concentración en su rostro desconocedor de refinamientos que no pudo sino meditar cómo algunos seres muy primitivos, por ejemplo esta lindísima muchacha, tienen una pureza tal que les facilita la comprensión de lo más inaccesiblemente selecto del arte. Antes de terminar el primer acto, ella y Almanza se excusaron porque habían prometido ir a jugar unas manos de tresillo en el antepalco de la prima de éste, Teresa Castillo, que se ofendería de muerte si la dejaban sola durante el segundo acto, que era aburridísimo: preferían pasarlo jugando al naipe. Volverían hacia fines del acto.

Al regresar y tomar asiento, Casilda vio el par de jóvenes perfiles tan absortos en los trágicos resultados del desatino de Elsa, que le dirigieron sólo la más somera sonrisa de acogida. En cuanto la marquesa se instaló, los dos perfiles reconstituyeron el cuño de una pareja imperial en una moneda. Casilda suspiró: ella ya no era joven. Había visto demasiada ópera en su vida: ya estaba un poco *blasée*, de modo que si bien el arrobo musical de Blanca Arias le pareció conmovedor por lo ingenuo, también lo encontró exasperantemente americano. Almanza, saliendo del antepalco justo antes que bajara el telón, les participó que tenía listo el champán. Casilda abrió camino a sus invitados antes que encendieran las luces y la gente comenzara a enarbolar los anteojos para ver quién visitaba el palco de quién.

La charla en el antepalco de Casilda Loria fue extremadamente animada en esa ocasión: la esposa del Ministro no se cansaba de admirar las largas trenzas rubias de Elsa, haciendo notar que ella, en su patria, tenía primas con cabelleras tan largas y rubias como la de la soprano, y además ¡unos ojazos azules...! Almanza no estimó necesario desengañarla señalándole que en este caso se trataba de una peluca, porque si bien la Velázquez era guapa tenía el pelo color ala de cuervo. ¡No lo iba a saber él, que la conocía desde sus modestos comienzos, porque, como él, era de Huelva, y se le notaba el acento andaluz y la tonadilla de fandango hasta cantando en alemán! Paquito, entretanto, locuaz como nunca antes, relataba lo transcurrido en escena a su Excelencia, que no se había enterado de nada. Al hacerlo, el marquesito se llevaba los dedos de la mano izquierda a la nariz, olisqueándolos mientras miraba a Blanca de reojo. Ella, consciente de lo que él hacía, se esforzaba por contener la risa: sólo le permitía que aflorara como encantadores hoyuelos en sus mejillas. Irritada al ver lo que su hijo hacía, Casilda lo riñó:

—No sigas sacándote los mocos en presencia de tus amigos. Parece mentira que tengas veinte años y no se te hayan quitado tus costumbres de colegial...

Paquito, amurrado, quedó silencioso, consumiendo copa tras copa de champán, inquieto porque aunque hacía cinco minutos que había çomenzado el último acto, aún no ocupaban sus lugares en el palco. Cuando por fin volvieron a sus sitios, Blanca hizo un tubo con el programa. Lo irguió, acariciándolo tiernamente, repetidamente con la otra mano, de arriba para abajo y de abajo para arriba. La mano izquierda de Paquito, ansiosa de no perder el precioso tiempo que les quedaba antes de finalizar el espectáculo, ya hurgaba entre los muslos ávidamente separados de Blanca, en ese capullo viscoso cuyo pistilo se proponía enloquecer. Comprendiendo la sugerencia del programa enhiesto, con la mano libre se buscó a sí mismo, soñando que la caricia que Blanca le prodigaba al programa se la estaba prodigando a él, para así alcanzar un éxtasis de amor paralelo al de Elsa y Lohengrin a orillas del río de Brabante. Ahora. Ahora mismo. Era cuestión de prolongar el dúo apasionado unos minutos más porque aún no llegaba el cisne...

Cuando el tenor comenzó "In fernen land...", Paquito y Blanca, tensos, cerca del éxtasis, agitados, permanecían sin embargo casi inmóviles porque cualquier gesto podía delatarlos impidiéndoles llegar a la culminación. Ella mantenía el sonriente rostro fijo, resplandeciente con las luces del drama escénico, pero en secreto rotaba las caderas, la dulce parte de abajo de su cuerpo sumida en la oscuridad y adherida a la seda del vestido y del asiento, conservando, sin embargo, el torso perfectamente quieto. Desde el fondo del palco el conde de Almanza contemplaba con indecible arrobo tan furtiva como eficaz calistenia. No había perdido ni un gesto, ni un movimiento, ni un segundo del tierno devaneo de esos dos palomos, recordando, no sin una medida de nostalgia, algo no muy diferente —tomando en cuenta las dificultades presentadas por la indumentaria femenina de hacía quince años— que sucedió en este mismo palco con Casilda, en presencia del cegatón de su marido: daban, hizo memoria, *La judía,* de Halévy. Embelesado, rejuvenecido por el ritmo sutil pero enloquecedor de los jóvenes, que se iba haciendo más y más frenético a medida que las sudorosas exigencias de amor crecían en escena, el conde se unió a la exquisita Blanca, a Paquito, a la música que los transportaba en su sensualidad declamatoria, que él iba siguiendo y compartiendo.

En el momento en que el tenor revela ser hijo de Parsifal y concluye la romanza con un *tutti* de la orquesta, Blanca, Paquito y Almanza se estremecieron al unísono. Blanca, con los párpados entornados, se hundió en tan suave quejido de éxtasis que la marquesa viuda la miró: ¡esta gente!, pensó. Pero al ver en ese lindo rostro el profundo transporte de emoción artística en ese instante de música sublime, quedó muy edificada. Temiendo un vahído de Blanca se dispuso a ofrecerle su frasquito de sales: vio que sin quitar los ojos de la escena se abanicaba con el programa, lo que pareció suficiente para reanimarla. Por última vez antes de partir Casilda paseó su vista por el teatro. Paquito aprovechó esta concentración de su madre para abrocharse. Almanza lo imitó también rápidamente, porque había reconocido los gestos característicos de Casilda al reunir pañuelo, anteojos, cartera, antes de la partida.

La marquesa de Loria se puso de pie. Pretextando tenerle verdadero pavor a las aglomeraciones debido a su asma, se despidió someramente —pero afable, para que su hijo no tuviera nada que reprocharle si las cosas pasaban a más— de los invitados: susurró que no quería estropearles el final de la ópera. Y mientras en el antepalco el conde de Almanza echaba sobre los hombros de Casilda la suntuosa estola de *petit-gris* oyó que ella murmuraba, mitad dirigiendo a él su comentario, mitad reflexión para sí misma:

—Esta chica es realmente MUUUUUYYYY sensible a la música...

—MUUUYYY... —asintió el conde.

Y tomando a su gran y buena amiga del brazo, bajaron juntos, como tantas veces, la escalinata de mármol del Teatro Real, no sabían por qué un poco meditabundos esta vez, dejando que Paquito, que ya era grande, se ocupara de sus invitados.

CAPÍTULO DOS

Lo menos que se diga sobre la boda misma, mejor. Casilda, derrotada por la incontenible pasión de su hijo y por la lógica de Almanza, pretextó el lamentado fallecimiento de una tía-abuela que era superiora en un convento de clarisas en Málaga —no la veía desde que fue su madrina de confirmación— para celebrar la ceremonia estrictamente en privado. Tan en privado que Blanca y Paquito se casaron en el remotísimo pueblo de Alarcón de los Arcos, feudo de los Loria de toda la vida, en la ruinosa iglesia llena de lugareños, únicos seres sobre la tierra, según Almanza, geográficamente determinados para tomar en serio a un papanatas como Paquito por la simple casualidad de su linaje. Y el banquete —si de banquete puede calificarse a tan rústico ágape— fue celebrado en el caserón lleno de goteras y de blasones que nadie, salvo algún aventurado administrador enviado por don Mamerto, suponía Casilda, había visitado en quince años. Asistieron, además de la familia Sosa que era oriunda del poblacho, del grupito de íntimos con que Casilda y Almanza solían reunirse a jugar *bridge* —para por lo menos tener a alguien con quien morirse de risa comentándolo todo después— y del personal de la Legación, que resultó ser un ejército, sólo las cinco o seis personas que constituían la colonia nicaragüense residente: ellos, impresionadísimos con el moho de tanta antigualla, ellas ataviadas, como era de esperarse, como para un baile en Palacio.

El matrimonio, en su sentido más estricto, fue una cruel desilusión para Blanca: todo lo que fuera juego, roces, labios, risas, cosquillas, caricias, resultó estupendo por imaginativo, por audaz, ya que Paquito no aceptaba límites para el goce siempre que se tratara de formularlo en términos de perverso retozo. Pero noche tras extensa y silenciosa noche en el gran dormitorio de raso que ocupaban en el palacete desde que Casilda se instaló aparte a raíz del matrimonio de su hijo, el marquesito caía derrotado cuando la fogosidad estaba a punto de saciar su apetito: era, *hélas*, como si todo lo férreo de Paquito se derritiera justo en el ápice del anhelo, humedeciendo sólo el exterior de la admirable flor de carne que Blanca le ofrecía tan sin problemas.

—Rey, mi reycito... —lo consolaba ella, asegurándole que lo que hacían era lo que más le gustaba, y como por otra parte tenían la vida entera por delante para lo otro, por ahora lo mejor sería disfrutar de esto, que ya, le aseguró, era bastante.

A Paquito le parecía demasiado larga la noche, demasiado grande el dormitorio que hasta hacía poco fue el de su madre —ésta, al retirarse, declaró que no estaba dispuesta a hacer el papel de allegada en su propia casa: sin embargo usaba el palacete como una sucursal de su propio piso modernísimo, recibiendo invitados e impartiendo órdenes allí como si continuara siendo ella y no Blanca la señora—, demasiado respetuoso el silencio de la gran casa, podía caérseles encima el *baldacchino*, alegaba Paquito más y más neurasténico con sus fracasos a medida que pasaban las semanas. Blanca, pese a las protestas del Casilda —que abandonó su relativa discreción de suegra para protestar ante la audacia de la americana al poner en cuestión su gusto para decorar interiores—, hizo quitar el *baldacchino*, transportar la cama a un reducto más íntimo, e instalar un gran espejo en la pared frente a la cama. Todo inútil.

—Mi rey..., no llores... —seguía consolándolo ella con el propósito de restañar su rabia.

En agradecimiento a la ternura de su esposa Paquito volvía al ataque, su amor y su orgullo férreamente reconstituidos: era capaz de todo con los dedos, con la rodilla, con los labios ansiosos y

33

atrevidos, hasta con la prominente nariz si hacía falta. Ella, hay que reconocerlo, dotada de esa pasmosa vocación para las perversiones que suele darse aparejada con la ternura en las hembras del trópico, reía y aceptaba y amaba, no sin añorar, es cierto, lo definitivo, pero lo definitivo con Paquito, porque durante esos cinco meses que duró su matrimonio Blanca no soñó con otros hombres, como había soñado antes y como habría de soñar después. Era bellísima. En realidad más bella a partir de su matrimonio que antes. Como lo sabía, se sentía también capaz de todo, aun de reavivar a Paquito después de sus desfallecimientos noche tras exasperante noche. Se dio cuenta que iba a tardar. Pero su instinto femenino le aseguraba a su corazón que quizás dentro de no mucho tiempo, Paquito, estimulado por su belleza, entraría triunfante, y como quien dijera, por la puerta principal, a ocupar el sitio de rey que ella le tenía destinado en su cuerpo.

Después de estudiar a su marido y la repetición de su fracaso con bastante desapego pero con la mayor ternura, estableció una especie de estrategia paulatina que le aseguraría, pensó, el triunfo. No tardó en llegar a la conclusión de que aquello que más lo molestaba en la amplitud de la silenciosa noche palaciega y conyugal era la ausencia de lo prohibido, de lo fortuito, de la acechanza, de amenazantes pasos que se acercaran o puertas que se abrieran chirriando en el momento justo, evocando la censura, el castigo, la vergüenza, elementos esenciales, según Blanca, para que su pobre marido conservara su compleja vitalidad —tan distinta a la sencillez americana de la suya— hasta el momento de atacar a fondo. ¿Pero, no era, acaso, imposible producir situaciones de sobresalto en un matrimonio tan convencional como el suyo, de posición económica mucho más que holgada? El artificio: ésa fue la respuesta que se dio Blanca. Y como era decidida además de enamorada e inteligente, una vez que logró aislar los elementos que faltaban se propuso procurárselos al marquesito.

Sería demasiado tedioso describir las ocasiones en que Blanca por medio de sus escenificaciones quizás demasiado transparentes del peligro estuvo a punto de conocer la felicidad. Pero no se puede pasar por alto aquella memorable tarde de invierno en que casi llegaron a la culminación: Casilda y Almanza habían convocado en el palacete a Tere Castillo y a Pepe Manzanares, que por entonces andaban liados, para jugar al *bridge* en una esquina del salón agraciado con la gran chimenea estilo renacimiento francés. Más allá de tresillos y lámparas y mesas Boulle cubiertas de aparatosos marcos y de chucherías carísimas, Blanca y Paquito yacían en cojines frente al alegre fuego del hogar en el que de vez en cuando, venciendo la lasitud, colocaban una que otra piña. Blanca había estado acariciando la cabeza de Paquito largo rato, mientras él, perezoso, bajo la blusa de su mujer, martirizaba amorosamente sus vulnerables pezoncitos. Allá, alrededor de la mesa de *bridge*, los grandes reían a veces entre los largos silencios de su estéril concentración, pero la presencia tan cercana de su familia, de la cual, para Paquito, emanaba todo castigo, lo enardeció. Blanca abrió el pantalón de su marido, que apareció rojo de fuego propio y reflejado, duro de peligro y de la humedad de los besos de Blanca. Vieron que Almanza se ponía de pie porque en la siguiente mano era su turno hacer de muerto. Le bastaría girar un poco la cabeza para sorprender a la joven pareja.

—Ahora... —susurró Paquito sobresaltado aunque listo al percibir el peligro.

Y puesto que jamás llevaba bragas, justo en espera de una ocasión como ésta, Blanca levantó su breve falda y se subió a horcajadas sobre su marido. Los lindos ojos de la marquesita —erguida sobre el cuerpo de su marido tenía el rostro al mismo nivel que las cubiertas de las mesas y los respaldos de butacas y sofás— encontraron la mirada de Almanza que hacía rato espiaba a la pareja por el rabillo del ojo. Al sentir que Paquito, bajo ella, comenzaba a flaquear por no encontrar estímulo exterior en que apoyarse, la expresiva mirada de la muchacha imploró la ayuda del gentilhombre: que él, que según se decía lo había hecho todo en la vida —incluso despilfarrar su patrimonio con esa tonadillera gaditana que instaló en el Hotel Negresco, de modo que en buenas cuentas ahora tenía que vivir a expensas de Casilda, vale decir de Paquito—, sí, que él le proporcionara esta ocasión para experimentar la plenitud desconocida, sí, eso es lo que estaban implorando los lindos ojos maliciosos de la marquesita. El conde, caballero y mundano al fin, ducho en descodificar mudas súplicas femeninas, esta vez comprendió también que el mensaje llevaba como posdata la promesa de que después, entre ellos dos, arreglarían cuentas. Almanza se acercó al fonógrafo colocado en el centro de la estancia, a medio camino entre la mesa de *bridge* y la chimenea, y comenzó a hacer girar la manivela.

—Cuidado, mi rey, que se acerca Almanza —susurró Blanca inclinándose al oído de su marido tremolante de pasión, porque con la proximidad del peligro el pobre pudo por fin sentir toda su propia tensión cumplida en la tensión con que el anillo de carne de Blanca aceptaba ceñirlo.

En la mesa de *bridge*, entretanto, reinaba un reconcentrado silencio, dejando a los otros tres aislados en un área distinta del salón, junto a la chimenea. Almanza escogía un disco. Lo puso, colocó sobre él la aguja que chirrió un poco, y se oyeron los compases de *La boda de la muñeca pintada*. El conde inclinó su noble cabeza hacia la corneta del fonógrafo como para oír mejor, pero en realidad para evitar que el ramo de crisantemos amarillos en el jarrón de Lalique le impidiera compartir el gozo de la pareja junto al fuego: Blanca, enhiesto el tronco otra vez, los párpados húmedos de amor, hundía lenta, sabiamente su ligero cuerpo sobre el de Paquito en posición decúbito dorsal, insinuando, con un levísimo va y viene que percibían sólo las papilas más sensibles del marqués, el ritmo del *fox-trot* del gramófono. Paquito, para tocar por fin fondo y hacer total su delirio, se aferró de los glúteos de Blanca, abriendo desmesuradamente los ojos con la sorpresa de su maravillosa hazaña. Por desgracia su vista tropezó con la mirada permisivísima del conde disimulando su deleite detrás de los crisantemos, inclinado igual al perro de la RCA Víctor junto a la corneta del gramófono. Le bastó ver esa complacencia, sentir esa complicidad para que de pronto todo en él se replegara, cayendo derrotado allí mismo cuando tenía ya lubricado su camino hacia el triunfo, sin sentir ni siquiera la descarga inútil que de ordinario empapaba a Blanca. El conde, satisfecho porque creía haber cumplido su cometido y por lo tanto iba a poder cobrarle su cuenta en especies a la marquesita, volvió a alejarse hacia la mesa de *bridge* donde los demás comentaban los resultados de esa mano.

—Con una mano así —alegaba Pepe Manzanares— no podía hacer nada.

Paquito sepultó su rostro en sus brazos cruzados sostenidos en sus rodillas recogidas. Al oír las palabras del rotundo Pepe, el marquesito no pudo refrenar su impulso de contradecirlo:

—La mano es lo único que no falla... —declaró Paquito, casi llorando.

—Shhhh... —susurró Blanca.

—¡Qué catarro, hijo mío! —exclamó Casilda sin levantar su vista de su mano llena de picos, ni esperar una respuesta a su comentario—. Blanca, ¿has preguntado si trajeron del convento de las monjitas donde las mandé hacer, las alas del vestido de Paquito para el baile de mañana? Que se las pruebe inmediatamente.

—¿Para qué, si no soy capaz de volar?

—¿Lo vas a disfrazar de Mermoz? —preguntó Tere Castillo, lanzando al centro del tapete un as de corazones—. No es que quiera disminuírtelo, pero no me parece que Paquito tenga el tipo adecuado...

—Va de Ícaro —repuso Almanza—. Aunque como está resfriado, no quiero pensar cómo le va a quedar el gabán encima de su túnica y sus alas.

—No hará frío mañana por la noche —dictaminó la marquesa viuda arrastrando todos los picos y todos los corazones de la mesa—. De modo que Paquito no irá hecho un mamarracho con su trajecito de semidiós estropeado por un democrático gabán.

Paquito, en efecto, no llevó gabán. Todos admiraron mucho la habilidad con que las purísimas manos monjiles habían teñido y pegado plumas de gallina para prestar veracidad a sus alas. Pero perdió su coronita de laureles sobredorados con purpurina al poco rato de comenzar el baile, y sin ella, pegado a las faldas de Blanca porque tanta algarabía le causaba desazón, decidieron huir del baile cuando éste comenzaba a arder. Para que Casilda no se enterara de esta defección no pidieron el Isotta-Fraschini —ese sinvergüenza del mecánico italiano estaría jugando al naipe con los demás mecánicos en el asiento trasero de algún coche, de modo que prefirieron no hacerlo llamar—, sino que corrieron hasta la parada de taxis de la esquina. Mientras hacían ese brevísimo trayecto cayó el chaparrón que desbarató las alas del infortunado marquesito, pegando las plumas empapadas a su cuerpo y al vestido húmedo adherido a su espalda y sus muslos, de modo que llegó tiritando y hecho una lástima al palacete. Ese invierno andaba mucha difteria por Madrid: falleció dos días después del miércoles de carnaval, Francisco Javier Anacleto Quiñones, marqués de Loria, antes de cumplir los veintiún años, dejando a toda su parentela desconsolada, muy especialmente a su joven viuda —nacida Blanca Arias, hija del recordado diplomático nicaragüense, como apuntaron las crónicas mundanas de los periódicos—, cuya belleza, todos lo observaron en las gradas de los Jerónimos de donde por cierto partió el cortejo fúnebre, se veía realzada por el luto.

CAPÍTULO TRES

¿Lo furtivo... O más bien lo espontáneo, lo fresco...?

Eran consideraciones bien distintas, casi contradictorias, que ella, en su inexperiencia, había confundido. Así meditaba Blanca paseando por el Retiro, cargada de crespones y las manos protegidas por un manguito de piel de mono durante aquella primera primavera de su viudez. Sí, lo que le había faltado a Paquito para eso que la gente llama "realizarse" fue sobre todo la espontaneidad en el acto del amor, que el matrimonio iba matando con su permisividad codificada y esterilizada por horarios y facilidades. Ella había cometido la estupidez de confundir esta añoranza natural en un alma pura, con cierta inclinación infantilmente perversa de su fantasía por el juego de lo furtivo y lo prohibido. Como nada estaba verdaderamente prohibido en el matrimonio, se había engañado. No pensaba engañarse otra vez. ¿Cómo hubiera quedado ella de haberse cumplido los ideales de Paquito? En el fondo, muy en el fondo, tan en el fondo que el golpe de esta certeza fue ligerísimo, apenas como el roce de un ala muy oscura, pensó que sería casi como estar acabada, vieja, lo contrario de este enloquecedor anhelo por lo desconocido que la impulsaba a circundar con sus menudos pasos cimbreantes el Palacio de Cristal para ir a detenerse en las gradas del estanque y quedarse contemplando en el agua —como a un maravilloso cisne negro entre tantos blancos— su propia imagen enlutada, y disfrutar tan intensamente con lo que reflejado veía. Pese al amor que aún le profesaba a su inolvidable marido, aceptaba lo inevitable del hecho que su propio destino sería conocerlo todo. ¿Cuál de las rollizas sirvientas mestizas de pañuelos multicolores amarrados a la cabeza, esas que le contaban historias de hechicerías a la luz de la luna junto a aguas cuajadas de peligros más considerables que el de estos mansos cisnes, podía haber adivinado en las cartas, que eran aficionadas a echar, que su destino se iba a cumplir deliciosamnete en este civilizado mundo donde, para la elegantísima dama en que la habían transformado los azares de la vida, todo era claro y previsible, incluso la desilusión, y por lo tanto manejable? Todavía, después de tantos meses, sentía el dulce escozor del anillo que Paquito había calzado para siempre en su carne al son de *La boda de la muñeca pintada* aquella única vez que fugazmente tocó fondo. Era como si ahora esa semilla de sensación, con esta endemoniada primavera que en todo fructificaba y florecía y se llenaba de jugos, estuviera echando raíces por toda su anatomía, animándola entera, haciéndola más tierna y fragante y ofrecida.

¿Pero ofrecida, en buenas cuentas, a qué, a quién...? Al contemplar su reflejo en el estanque sintió un ligero vértigo, como si las raíces cosquilleantes que crecían a partir de aquel frugal recuerdo fueran tan pujantes de sensaciones táctiles, que su cuerpo fantaseoso, en este estado de sinestesia, podía sufrir un vahído: tuvo que darse vuelta la espalda a sí misma para prevenirlo. Sin embargo, exasperante, la pregunta persistía: ¿a quién, para qué? Jamás volvería a sentir la ternura de amor que sintió por su Paquito: pero no dejaba de ser perturbador verse colmada por la certeza de que su futuro era conocer todas las cosas escritas en las cartas de las sirvientes negras, las que decían destinadas a ella y también las otras. Por el momento la única criatura que podía cosechar los divinos frutos de su ardor era ella sola, encerrada en su alcoba con la forzada reiteración de su parva memoria: ésta, al ser revolcada y abusada e invocada con quejidos y suspiros entre sus olorosas sábanas, buscando el misterioso botoncito del placer una y otra vez con sus dedos diestros en esa materia, se iba erosionando por la repetición *ad nauseam*, tanto que ya, en las noches de mayor inquietud, le resultaba difícil asirse de ese único recuerdo. Entonces no le quedaba otra alternativa que dar aterradora rienda suelta a sus fantasías, que la dejaban mojada de agotamiento y frustración, como si la hubiera violado un batallón de torpes enemigos. No osaba franquear estas fantasías, pese a saber que tenía la puerta abierta de par en par para hacerlo: pero por ahora lo temía todo, a todo el mundo, a su suegra, a sus amistades, a Almanza, a don Mamerto Sosa, a sus lacayos, a todos los hombres y las mujeres, en fin, que veía venir en sentido contrario por la acera, y cuyo escrutinio de su persona atravesaba el enigmático *chic* de su luto, despojándola del broche que sostenía el escote en la hendidura de sus pechos acezantes, de la faldita de *crêpe marocain* que la brisa de la primavera ceñía a sus caderas cuyas formas no velaban ni enagua ni bragas, de la pestaña de paraísos que dotaba de un sutil parpadeo el ala amplísima y bajísima de su sombrero: sí, todos la querían desnudar, tocar, acariciar su piel, morder su maravillosa carne..., en cualquier gesto suyo la podían sorprender, adivinando que pasaba por un estado en el que sería incapaz de negarle nada a nadie que lo solicitara. La mano de Almanza, por ejemplo, permanecía medio segundo más de lo debido en posesión de su mano al despedirse, y, saludándola, sus bigotazos engomados llevaban inconfundibles intenciones al rozarle los nudillos. ¿O se trataba sólo de fantasías suyas? ¡Era tan difícil decir qué lo era y qué no...!

Blanca le guardaba cierto rencor a Almanza. No olvidaba que esa memorable tarde junto al fuego Paquito había quedado derrotado exactamente en el instante en que su ardor fue tocado por la grosera complicidad de la mirada del conde. Aquella misma noche, con su pobre cuerpo frío como la luna junto al de ella en el lecho frente al espejo, Paquito había analizado el problema reciente a la luz de esa mirada canalla, adjudicándole la culpa de su fracaso. Las malhadadas alas sin estrenar colgaban del respaldo de la silla como la esperanza de algo que jamás se llegaría a cumplir.

Paquito, que no en vano fue educado por jesuitas, era muy dado a rumiar y analizar. Lejos de ser el papanatas que lo creían, lo había percibido todo desde muy pequeño pese a los escamoteos de la vergonzosa verdad por parte de la familia y del servicio, desde que Almanza se introdujo en su casa a vista y presencia del buenazo de su padre, que pasó a ser el hazmerreír de todo Madrid, hasta verlo arrogarse infinitas prerrogativas aún en vida del cegatón marqués. Ahora, su injustificable autoridad en la familia hartó al marqués su hijo. A la muerte del padre, Almanza incluso tuvo la pretensión de casarse con Casilda, proposición a la que ella, que por lo visto no era ninguna tonta, respondió:

—Viuda que se vuelve a casar no merece ser viuda.

Y rechazó desde el primer instante lo que hubiera sido un pésimo negocio, reteniendo así al conde como una especie de pariente pobre sin estipendio fijo, encargado, sobre todo, de los asuntos suntuarios de la casa, como del champán rosado para los Arias, por ejemplo. Su madre y Almanza, en todo caso —y sospechaba que también esa cínica de Tere Castillo de alguna manera que él todavía no era capaz de entender—, vivían a sus expensas, controlando a administradores y notarios, sirvientes y allegados, y obligándolo desde que cumplió su mayoría de edad a firmar un sinfín de papeles que ni siquiera le permitían leer:

—Cuando seas grande me lo agradecerás —decía Casilda.

Pero todo eso iba a terminar. Sí, todo iba a cambiar a partir de mañana mismo, gimió Paquito paseándose desnudo con tal energía que su gran miembro lacio y blanco se bamboleaba con un vaivén regular como el de una plomada. Le dio un puntapié a sus famosas alas. Pero su agresión no pasó de eso, ya que al día siguiente se celebraba el baile de máscaras al que Blanca tenía tal ilusión por asistir que él no tuvo corazón para estropeárselo y prefirió esperar el día subsiguiente para su enfrentamiento.

En el baile, en cuanto se puso sus alas de Ícaro, Paquito sintió que ese miembro, lacio anoche, se erguía esta vez invencible, repleto ahora de una flamante acumulación producida por su proyecto de darles la batalla mañana mismo a su madre y a Almanza, y gritarles cuatro verdades que oirían aunque se cerraran a todo declarando que lo que estaba haciendo era una falta de clase: súbita fortaleza bastante escandalosa debido sobre todo al brevísimo atuendo clásico con el que resultaba imposible disimular nada. Arrastró a Blanca del baile con el fin de llevársela directamente a su alcoba, donde, para el placer de ambos, tenía la intención de violarla sin siquiera quitarse las alas, sin siquiera darle tiempo a ella para deshacerse de sus crinolinas de pastora. Este propósito tuvo el lamentable fin que se conoce, porque ya al entrar empapado de regreso al palacete el pobrecito iba afónico y febril.

Aunque el matrimonio duró sólo cinco meses, fue suficiente para que Paquito tomara importantes precauciones. Don Mamerto Sosa, desde tiempos inmemoriales fiel a la estirpe de los Loria, era tan experto en sus genealogías y blasones como en las intrincadas fuentes de su peculio. Su viejo corazón alborozado saltó de júbilo cuando el joven marqués, de regreso de su luna de miel, acudió a él para consultarlo en secreto. Diminuto, descolorido, frágil y polvoriento como una polilla, con diminutos ojos brillantes tras diminutas gafas y diminutas manos pulcrísimas que manejaban pulcrísimos escritos, don Mamerto, muy ufano y como rejuvenecido con el honor, pasó unos días encerrado con Paquito en su despacho —separado del resto de su establecimiento notarial por una puerta cuyo panel más alto era de cristal esmerilado donde se insinuaban las siluetas del trajín de la oficina— instruyéndolo en el monto de sus bienes e insinuándole con gran delicadeza aquello que consideraba necesario hacer para neutralizar la rapiña de quien —todo esto sólo se adivinaba como al trasluz de sus sobrias palabras de notario castellano— no era, al fin y al cabo, más que una altanera andaluza cuya conducta manchaba la honra de la familia. Hasta ahora no se había producido ninguna catástrofe económica pese a su mayor tendencia a la liquidación que a la conservación o reinversión, unido, no podía negarlo, aceptó don Mamerto entre carrasperas que parecían poner en peligro su vida, a algo más que descuido, que aceptó calificar de despilfarro. Por ciertas inquisiciones de la pecaminosa pareja después de la mayoría de edad de Paquito, el notario veía perfilarse en el horizonte ciertas dificultades que no le gustaban. Era preferible permanecer alerta. Y como él, Paquito, gozaba de todo lo que un señor puede necesitar en materia de trajes, coches, viajes, diversiones, y su esposa tenía cuenta abierta en casa de las modistas más cotizadas de Madrid, que los subalternos de don Mamerto se encargaban de pagar, era aconsejable no hacer otra cosa que prevenir posibles aunque por el momento —loada sea la Santísima Virgen— remotas desgracias: para esto bastaba firmar un testamento que lo dejara todo inapelablemente en manos de Blanca. Pensando que el peculio de la casa era tan cuantioso que alcanzaba hasta para fruslerías como el abono de Tere Castillo al Real, lo mejor era seguir disfrutando del *statu quo* presente, y por ahora, hasta que se definiera el rostro del peligro, no cambiar nada, no darle su verdadero nombre a nada. Paquito otorgó de inmediato un testamento secreto vengativamente sugerido por don Mamerto —que pese a parecer otra cosa era hombre de pasiones fuertes—, instruyendo también a Blanca en sus derechos que por el momento tenían la elegante cualidad de ser innecesario ejercerlos.

En su viudez Blanca prefirió parecer ignorante de todo, incapaz de entender nada, como una exquisita muñeca de lujo que no permitía que le llenaran su linda cabecita con cosas aburridas. Disfrutaba, sin embargo, de saber que tanto su suegra como Almanza eran dependientes de ella —podía congelar todo los fondos con una firma—, por no decir sirvientes. Algo, sin embargo, se traían entre manos esos dos, porque durante los almuerzos de duelo no dejaban de insinuarle lo conveniente que sería que aprovechara el luto para emprender un viaje a las Américas con el fin de visitar a su familia y llegar allá cuajada de regalos. La joven viuda, agradeciendo tan sabios consejos, alegaba que aún no tenía corazón para alejarse de los fetiches de su adorado Paquito. Por ahora se conformaría con la distracción de sus sentimentales paseos por el Retiro.

—¿No debías acompañarla? —preguntó Almanza a Casilda.

—¿Estás loco? —chilló la marquesa, visiblemente descompuesta por algo que subyacía a la inocente sugerencia del conde—. Detesto la naturaleza. ¿No sabes que sólo respiro bien sobre el asfalto y que no sé distinguir una violeta de un sauce?

Diariamente, entonces, y sola, si el tiempo se lo permitía, la joven marquesa viuda de Loria paseaba por los senderos del Retiro luciendo para ojos desconocidos —muy de vez en cuando se alzaba algún *canotier* de amigo que guardaba respetuosa distancia de su aflicción, o se acercaban obsequiosos parientes de Casilda— el misterio de su luto. Pero de sus orejas se cimbraban dos lágrimas de oro facetado cuyo brillo trascendía los velos del duelo con perversos guiños impuestos por la ligereza del paso de la joven.

Fueron estos guiños detrás de los velos lo primero que mereció el cumplido de Tere Castillo al encontrarse a boca de jarro con Blanca, una haciendo el recorrido en torno al admirable monumento a don Alfonso XII en un sentido, y la otra en el sentido contrario:

—¡De un *chic* loco! —exclamó la de Castillo agitando las plumas un poco pasadas de moda pero "muy suyas" de su sombrero, que hacían más monumental aún su silueta de por sí espectacular—. ¿Por qué siempre tan sola?

—¿Cómo sabes que siempre...?

—¡Ah! —repuso Tere, maliciosa aunque incapaz de sutilezas—. ¡Tengo una legión de espías que me informan de todo lo tuyo!

—El luto... la pena...

—¡Pamplinas, mujer! ¡Con lo soso que era el tal Paquito! ¡Tú, chiquilla, con lo bien que te ha dejado tu marido puedes imponer las reglas de tu luto a tu antojo y convertirte en la heroína de Lehar aquí en Madrid! Pero ¿quién viene aquí...? Ah, mi dilecto amigo...

El recién llegado se inclinó para besar la mano extendida de Tere Castillo, mientras Blanca meditaba sobre lo que se habían divertido con Paquito oyendo a Esperanza Iris en el papel sugerido por Tere. Cuando el dilecto amigo se incorporó, quiso dominar al alborotado cachorro que traía preso de una cadena a la vez que responder a las presentaciones que Tere hacía de la marquesa de Loria. Blanca lo examinó. Es decir, no llegó a examinarlo: la fuerza de esa presencia se abalanzó sobre ella, confundiéndola, ahogándola, acaparando tan agresivamente su atención que Blanca no escuchó su nombre ni sus referencias que por una vez parecían exentas de la malevolencia habitual en Tere.

Cuando el recién llegado aplacó al cachorro, Blanca, como quien toma inventario después del incendio, pudo tranquilizarse lo suficiente para mirarlo: sus músculos, empeñados en dominar la fogosidad del cachorro, ondulaban en los antebrazos y muslos de pana negra, mientras a la sombra del chambergo, igual a los de ciertos artistas que veía en las ilustraciones de Rafael de Penagos o de Echea para *La Esfera*, brillaba su insolente mirada como de duro alquitrán recién cortado, pero también como de terciopelo, y su risa revelaba una lengua poderosa, y dientes grandes, mojados, carnívoros rodeados por la exuberancia de su barba retinta. Paquito era lampiño. Blanca, al intentar ponerse a charlar como cualquiera señora civilizada fue incapaz de decir ni una palabra, sobrecogida por su fantasía del asalto de esa barba sumida entre sus muslos, del vigor de esa lengua hurgando en vértice hasta el delirio, de esos dientes mordiéndole cruelmente el vello empapado del pubis, del calor de esos resoplidos para dominar al cachorro juguetón que tensaba la cadena, sintiendo hervir todo su ser femenino concentrado en el canal jugoso que llegaba hasta el fondo mismo de su identidad.

—...el retrato que Archibaldo me está pintando es con un trapo en la cabeza y con una cesta de besugos, como si fuera una pescadora gallega y mira que soy andaluza... —eran retazos de la charla de Tere que la atención de Blanca apenas podía recoger porque con el corazón encogido de terror sentía que su tierno vértice se iba humedeciendo. Era la fiebre producida por la presencia del pintor. Tanto, que seguramente él ya había percibido su ardiente aroma de criolla que ni "L'Heure Bleue" tenía capacidad para disimular. Lo peor era que la mancha de humedad sin duda había aparecido en su falda que la brisa primaveral le pegaba al cuerpo. Junto a la laguna, en vez de mirar las barquitas, Archibaldo la examinaba desfachatadamente risueño, sin respeto ni por su rango ni por su luto, desde las pantorrillas hasta las caderas y la cintura y el pecho, como si ninguna discreción fuera necesaria porque entre ellos dos existía el acuerdo de la exuberancia sexual de la juventud, que excluía a Tere.

¡Pero ella no tenía acuerdo alguno con nadie! ¡Ella era ella, la marquesa de Locia, dueña y señora de sí misma y de muchas otras personas y cosas! Ella no consentía a nada. No toleraba su propio rubor producido por la certeza de que su tenaz fantasía de esa barba haciéndole cosquillas entre las piernas le estaba mojando la falda de tal modo, y en sitio tan evidente, que el pintor y la perversa Tere tenían que haber reparado en ello pese a que intentaba disimularlo maniobrando su manguito de piel de mono. Pretextó que llevaba atraso para una importante cita con don Mamerto Sosa —fue lo único respetable de que su imaginación, en ese momento tan atolondrada, pudo echar mano— y después de despedirse someramente de la pareja, que sin duda eran amantes, les dio la espalda. Subió a toda carrera las gradas del embarcadero hacia el monumento, sujetando con una mano el sombrero que se le podía volar y reteniendo, con la mano que llevaba el manguito, su falda, de modo que el viento primaveral no la levantara más que para revelar el trecho de piel desnuda donde las corvas, entre las ligas que ceñían las medias negras y el borde del vestido, recibieran el último tizonazo de los ojos del pintor: desde abajo se regodeaba con el espectáculo de su huida sin siquiera hacer callar a su perro que le ladraba y le ladraba.

¡Pero ella no huía de nada ni de nadie!, se dijo una vez arriba, cuando ya dejó de oír los ladridos, enfilando sus pasos hacia la Puerta de Alcalá. Es verdad que tenía una cita con don Mamerto, cuyo despacho quedaba dos calles más allá. Apresuró el paso por Serrano, como si en ese despacho donde todos acataban sus órdenes fuera a encontrar el apaciguamiento que necesitaba. Don Mamerto era leal: él sabría ofrecérselo.

En los escaparates que iba dejando atrás veía su fugaz reflejo: ahora que el viento había levantado resueltamente sus velos de viuda las lágrimas de oro guiñaban tan elocuentes desde sus orejas que no hubo lustrabotas ni ocioso que dejara de celebrarla con un silbido o algún divertido piropo, que le costaba no romper con su risa su adusta compostura de viuda. Encerrada en el ascensor que la iba subiendo al tercer piso, sintió que ese pequeño confesionario mecanizado era como una caja de resonancia para su corazón furibundo, un embalaje sellado para su casi intolerable aroma de hembra indignada mezclado con el parisino Guerlain. Abrió de golpe la puerta del ascensor, de golpe la puerta de la notaría, y sin saludar a las secretarias, con quienes siempre había hecho estudio de ser amable para demostrar la sencillez propia de su rango, abrió y cerró de golpe la puerta del cuartito lleno de amarillentos papelorios que formaban colchones en el suelo, encima del sofá Chesterfield y sobre el escritorio detrás del cual don Mamerto apenas sobresalía entre tanto legajo: el anciano no tuvo otra reacción visible que palidecer ante la repentina entrada de la marquesa, a quien se veía tan agitada que sin siquiera saludarlo con su habitual deferencia se sentó en el ángulo mismo de su escritorio, dándole la espalda a él y dejando caer, abatida, su cabeza sobre su hermoso pecho. Cumplido caballero castellano pese a sus años, don Mamerto se levantó después de abrochar sus polainas que se había abierto para trabajar con mayor comodidad, y luego comenzó a levantarse, carraspeando y renqueando. Apoyado con una mano en el contorno del escritorio fue acercándose para dar su bienvenida a tan empingorotada dama.

Al acercarse vio que cubría sus ojos con una mano como si fuera a sollozar, afirmando su cuerpo en la otra mano posada en el escritorio cuyo ángulo, observó el viejo, penetraba hondamente en la soberbia carne elástica de su popa. Tuvo un primer impulso de llamar a sus subalternos ocupados en sus trabajos más allá del vidrio esmerilado, para pedir que trajeran sales, o agua de melisa, o una copa de algo. Pero no lo hizo porque, al calarse las diminutas gafas de marco de oro para escudriñar tan patética figura de dolor, se percató de que los males de la marquesa no eran de los que se curan con simples pócimas. Con su pecosa mano, de piel tan arrugada como la de un palmípedo, don Mamerto se dispuso, en cambio, a brindarle el consuelo quizás más efectivo de acariciar la mano con que la joven se apoyaba en el escritorio.

Blanca lo veía todo por los intersticios de sus enguantados dedos: el ir y venir de las figuras que se disolvían en el vidrio esmerilado, el paso conmovedoramente endeble del anciano acercándose a ella con evidente deseo de complacerla. Y sintió un curioso, y no desagradable, encogimiento de su sexo al ver que, por debajo de sus pantalones y por encima de las polainas, se asomaban las atractivas puntas de unas tiritas inmaculadamente blancas que con seguridad servían para atar sus calzoncillos largos a sus tobillos. Como quien le permite una caricia a un abuelo, le permitió a don Mamerto la tierna familiaridad del intento de aliviar su mal sin nombre con un simple palmoteo de su

61

mano enguantada.

—No llore, hija mía... —murmuraba el anciano ya no sólo palmoteándole dulcemente la mano sino acariciando su maravillosa muñeca adornada con un Patek Philippe muy sencillo—. Usted lo tiene todo para ser feliz, juventud, belleza, una fortuna inmensa defendida por la lealtad mía, de mi familia entera y de mis empleados. ¿Qué más quiere? Claro que el pobre Paquito...

Blanca se estremeció con un sollozo al oír ese amado nombre. Casi tuvo un desfallecimiento, de modo que el pobre anciano se vio en la necesidad de afirmar su cuerpo joven con su propia vejez endeble, rodeándole el talle con un caballeroso brazo para que la marquesa no se desplomara. Ella dejó caer su cabeza sobre ese hombro paternal brindado tan generosamente. Sí, la apaciguaba el aroma de vejestorio de don Mamerto, como de almidón añejo o de papel amarillento. Con su mano enguantada Blanca comenzó a acariciar lentamente la piel coriácea del rostro del anciano, lampiña no de juventud sino de vejez, sintiendo junto a su pecho el corazón agitado de esa persona cuya función era hacer todo lo que ella quisiera: su mano recorrió las cuencas desencajadas de los ojos del notario, las mejillas huecas, la piel que colgaba de la mandíbula inferior y del cogote que se perdía en el cuello duro de su camisa, bajando por el pecho hacia el corazón enloquecido, hacia su pancita sintetizada bajo el cinturón, hasta llegar donde quería llegar: al asiento del consuelo. De reojo, por si acaso, miró las figuras de afuera que al pasar se congelaban por un instante en el vidrio, escuchó el teclear de las máquinas: todo seguía como siempre. Ella también podía seguir porque don Mamerto estaba férreamente dispuesto a complacerla. Lo desabotonó sin dejar de gemir, su cabeza apoyada en aquel hombro paternal: apareció diminuto, pero, era evidente, asombrosamente eficaz para su edad, el pequeño pero agresivo cuerno indomable, justa la medida, ni más ni menos, de lo que ella en ese momento necesitaba. Levantó su falda y separó sus muslos sin dejar de lloriquear ni de vigilar la puerta. Entonces el anciano embistió con tal arte pélvico que la penetró con la gran facilidad que le brindaba ese cuerpo que venía lubricado desde el Retiro: Blanca ahogó un gemido de placer entre los brazos de don Mamerto que se agitaba, agitándose ella también hasta que sus sollozos ya no fueron más que de deleite, rotando las caderas, aspirando el reconfortante perfume de sumisión, de cosa decrépita pero normal y limpia y viril, mientras don Mamerto, imponiendo sus diestros movimientos a los suyos adquirió un ritmo acelerado al que ella se dejó arrastrar, los muslos en alto, la falda en la cintura, sentada en la punta del escritorio, cubriendo con los paraísos de su sombrero la cabeza del anciano que jadeaba junto a ella. Blanca no sentía las manos de don Mamerto. ¿Dónde las tenía este hombre maravilloso que no las necesitaba para excitarla a ella ni para excitarse a sí mismo? En la vorágine de esos minutos de peligrosa locura la respiración de don Mamerto se iba haciendo peligrosamente entrecortada, como la de ella, tan entrecortada que, llegando al momento en que la inundó y ella respondió apretándolo con un orgasmo corto y violento, él se quedó perfecta y repentinamente quieto como si quisiera prolongar todo esto llevándoselo a la eternidad, desfalleciendo, sin respirar, igual que ella. El anciano y la joven marquesa permanecieron unidos un segundo en ese abrazo mientras ella escudriñaba su propia imaginación para decidir cuál iba a ser la actitud que sería propio tomar al separarse. Don Mamerto era, en verdad, pequeñísimo, livianísimo, tan frágil que lo hubiera podido levantar como a un pajarito, tan delicado que corría el peligro de triturarlo atenazándolo al bajar los muslos para volver a cubrir con su falda sus ligas y sus medias torcidas y caídas más abajo de su rodilla. Mientras Blanca establecía el protocolo a seguir después de deshacer el abrazo, que tenía que ser ya, él permaneció dentro de ella, claro, completamente sin vida. Aterrada al pensar esto y darse cuenta que don Mamerto iba deslizándose a lo largo de su propio cuerpo vivísimo, cayendo lento como un leve camisón vacío y sin forma, incapaz de asirse a nada, Blanca quiso erguirse. Desprendido de ella, don Mamerto cayó al suelo sin ruido, albo y exánime.

La marquesa se llevó una mano a la boca para restañar un grito de terror: logró pensar y detenerlo a tiempo. Inmediatamente se puso de rodillas junto al cuerpo, guardó el bondadoso y diminuto sexo del anciano en sus calzoncillos, abotonó la bragueta y enjugó las manchas que el amor había dejado en el pantalón. Sacó de su bolsillo un peine de carey y brillantes con el que peinó los pocos cabellos revueltos de su amigo, y dispuso su cuerpo en el suelo de modo que su caída pareciera natural. Colocó junto a él un legajo que encontró sobre el escritorio concerniente a la venta del producto de diez mil nogales en un cortijo de la propiedad de los Loria en Andalucía. Luego, se apresuró a arreglar su propia indumentaria, a restituir *rimmel*, colorete y polvos, a subir sus medias y fijarlas con las ligas y a enderezar su sombrero con un gran alfiler. Entonces, al ver a don Mamerto Sosa muerto a sus pies, traspasada por el dolor del deceso del anciano en una situación tan íntima, aterrorizada ante esta pérdida que la dejaba sin defensa contra esas hienas que eran su suegra y el conde de Almanza, Blanca Loria lanzó un chillido, al que de inmediato acudieron los empleados de la notaría y los hijos de don Mamerto.

Sólo entonces Blanca se permitió un desmayo.

CAPÍTULO
CUATRO

La joven marquesa viuda de Loria no quedó, sin embargo, desprovista de protección.

Despidiendo el cortejo fúnebre que partió de los Jerónimos, al que asistieron todas ellas, Blanca, Casilda, Tere Castillo, todas vestidas de un negro tan estricto como si se tratara de un miembro muy querido de la familia, la joven marquesa pudo comprobar algo de lo que nunca antes se había percatado y que le produjo la mayor tranquilidad: que don Mamerto no era ejemplar único ni insustituible. Al contrario, los que parecían una serie de facsímiles del occiso despedían el duelo en fila de mayor a menor, y saludaron y se fueron metiendo en los coches del cortejo como una hilera de esos patitos de juguete que los niños arrastran de un cordel y que al moverse inclinan unánimes la cabeza: los hijos y nietos de don Mamerto, todos diminutos, todos amarillentos, y todos, sin duda, incondicionales de Blanca, ahora dueña de los bienes de la casa de Loria. La esposa del más joven de los Mamertos llevaba en sus brazos a un niño en pañales. Después que se perdió de vista el cortejo, cuando las señoras desconsoladas permanecieron un rato en la escalinata del templo comentando la magnificencia de las flores con que la joven marquesa lo había hecho repletar —todas blancas, como para una boda, observaron—, ésta pidió a la nuera del finado que le permitiera tomar en brazos al nieto... aunque tal vez fuera bisnieto. Mientras Blanca lo mecía en sus brazos haciéndole tiernas carantoñas, hurgó en sus pañales para comprobar si ese crío, de rasgos idénticos a los de don Mamerto, era también idéntico más abajo: apenas lo tocó, el mínimo cuernecito, irguiéndose, se puso a su servicio igual que el del occiso, e igual, supuso Blanca, como sería la actitud de los afortunadamente innumerables Mamertos. El veredicto de la marquesa, promulgado a los asistentes entre las lágrimas de su llanto que a todos emocionaron, fue que, andando el tiempo, esa criatura que llevaba en sus brazos sería el vivo retrato espiritual y físico de ese hombre ejemplar que fuera el notario don Mamerto Sosa.

—¡Estas americanas cursis no soportan perder una ocasión para hacer una escena! —comentó Casilda por lo bajo a Tere Castillo.

Pero Blanca, que alcanzó a escuchar la respuesta de Tere sugiriéndole a su íntima que quizás se tratara de una estratagema de la extranjera para poner de su lado a la familia Sosa, no dudó que aun sin sus lágrimas, por lo demás muy sinceramente sentidas, si llevaba cualquier problema a la familia del muerto iba a encontrar un sinnúmero de miembros dispuestos a atenderla con la misma exquisita deferencia de don Mamerto en aquella infausta ocasión.

En la tarde del día siguiente al sepelio, en el fondo para asegurarse de esta fidelidad, Blanca se presentó en el despacho de la familia Sosa. Como sus pensamientos venían ocupados con otros asuntos no traía preparado un problema preciso que presentarles, de modo que al Mamerto que la recibió levantándose de detrás del mismo escritorio cubierto de legajos que ocupaba su padre e invitándola a tomar asiento en el otro extremo del sofá Chesterfield, ella le propuso lo primero que se le vino a la cabeza: deseaba encargar un retrato de cuerpo entero de Paquito ataviado con su disfraz de Ícaro para colgarlo junto a sus antepasados en Alarcón de los Arcos. Rogó al notario que en nombre de ella se pusiera en contacto con Archibaldo Arenas, un retratista muy cotizado en ese momento en los círculos de la gente conocida. ¿Podía ser tan amable como para consultar precios, enviarle fotografías de Paquito, lo que quedaba del disfraz y las alas, solicitarle un boceto y

establecer una fecha de entrega? El notario, después de tomar un apunte del asunto, le rogó a la
marquesa que se molestara en acompañarlo a entrevistarse con los demás Sosa de la firma, todos
descendientes del finado don Mamerto, los que al
tener conocimiento de la visita de la señora marquesa se hallaban reunidos aguardándola.

Serían ocho o diez, que después de arremolinarse en torno a Blanca para besarle la mano, se
sentaron alrededor de una gran mesa, que le rogaron presidir. Se disponían a informarla sobre ciertos asuntillos confidenciales que, según el Mamerto que hoy la había recibido —o tal vez otro,
porque confundidos los viejos con los jóvenes
igualmente diminutos resultaba no sólo dificilísimo distinguirlo sino imposible comprender lo
que le estaban exponiendo—, era urgente resolver.
Su linda cabecita, ceñida por una *cloche* de hule
negro con una hebilla de plata sobre una oreja, en
lugar de interesarse por los graves asuntos que intentaban aclararle, miraba uno a uno a los Sosa,
viejos, jóvenes, jovencísimos, poniéndolos en fila
encima de la mesa y desnudándolos allí por orden
de estatura para comprobar cuán efectivamente estimulaba a cada uno su propia zaranbanda bailada
desnuda frente a ellos, y cuán rápido caían muertos uno a uno al rozarlos con su cuerpo: esos cuellos almidonados, esas pulcras manitas juntas en

cima de la mesa como si se dispusieran a orar, esos ojos incrédulos tras las gafas ante la frivolidad de su desatención, ante la sonrisa que rozaba sus preciosos labios fruncidos, ante la risa que floreció en ellos al ver a la familia tan compuesta, pese a estar completamente desnudos, ante la carcajada que por fin Blanca no pudo reprimir. Le dieron un vaso de agua para calmar sus pobres nervios mientras el más enterado de los Sosa acotaba:

—*Ridi pagliaccio...* —para que los demás respetaran la magnitud del sufrimiento de la sensible marquesita.

Cuando al cabo de un rato ella se tranquilizó, el que llevaba la voz cantante intentó explicarle con el mayor tino que, durante la ausencia de la señora marquesa doña Casilda en París, a donde acababa de trasladarse con el propósito de comprar su equipo de verano para las playas de Biarritz, el conde de Almanza, tal vez por exceso de familiaridad, tal vez por descuido, había dispuesto de los cuantiosos fondos recién ingresados por la venta a una fábrica de chocolates suizos del producto de la nogaleda de Andalucía, propiedad de los Loria de toda la vida —vale decir propiedad *mía* se dijo Blanca—, con el fin de comprar un caballo de carrera inglés, de *pedigree* impecable aunque de *performance* todavía impredecible.

—¿Almanza? —preguntó Blanca, repentinamente alerta como un sabueso al olor de su presa.

Mientras pedía que le repitieran todo minuciosamente, con cifras y fechas de transacción para esta vez escucharlas con el mayor cuidado, no pudo dejar de desnudar al gentilhombre ausente, el cual, puesto sobre la mesa del consejo, aventajaba a los diminutos Sosa no sólo en talla, sino sobre todo en la virilidad musculada de sus deportivos cuarenta años: evocarlo fue como dejar entrar una bocanada de aire libre en esa encerrada estancia, como una elegante presencia animal en medio de tanto papel, la encarnación misma de la displicencia, el desenfado, el placer en medio de tanta probidad y obligación. Sí. Almanza era un sinvergüenza. Ya se lo había advertido Paquito. Pero cuidado, que no se propasara: ella, al fin y al cabo, era una bravía hembra del continente nuevo, del que no se avergonzaba pese a que eligiera cubrirlo con un barniz de civilización, barniz que estaba dispuesta a romper en cuanto le conviniera, especialmente cuando se trataba de vengarse de un cínico que pretendía hacerla su víctima. Que no le dijeran nada al conde de Almanza, pidió a los asombrados Sosa. Ella se encargaría de arreglar las cosas con él. Por el momento, que no pagaran ninguna de las cuentas que Casilda enviaba desde París y que no le dieran explicación. Estaba harta. Tan harta que si seguían vejándola se proponía liquidar todos sus bienes y comprar medio Nicaragua para explotarlo a su gusto, dejando a Casilda y Almanza con un palmo de narices. Al ver la consternación escrita en el rostro de todos los Sosa ante tal propuesta que a ellos también los pauperizaría, decidió dejar todas las ideas flotando inconclusas en el aire: salió, repitiendo que estaba harta de que la humillaran, despidiéndose apenas de los Sosa boquiabiertos y de pie en torno a la mesa.

Blanca caminó dos manzanas Serrano abajo sin detenerse ante el escaparate de ninguna tienda. En la Puerta de Alcalá miró su Patek Philippe: sí, pese a que era un poquito tarde, podía contar por lo menos con una hora más bajo el bellísimo cielo de ese atardecer madrileño, que podía emplear en un paseo por el Retiro que le hiciera olvidar el reciente mal rato.

Pero no se puede decir que en esta ocasión Blanca Loria gozara precisamente del crepúsculo ni del Retiro, porque en el momento mismo de entrar, como si hubiera estado esperándola, la aparición de Archibaldo Arenas, con su gran chambergo negro y su capa, tensísima la cadena de su perrazo gris dispuesto a romperla para huir, cubrió el paisaje y ocupó por completo el campo visual de la marquesita. La saludó tan sin afectación que después del primer instante de sobrecogimiento

Blanca se sintió perfectamente a sus anchas paseando por las avenidas y senderos con tan gentil acompañante. Ambos rieron comentando a Tere Castillo, las dificultades que presentaba como modelo que un día quería aparecer en su retrato vestida como una manola de Anglada Camarasa y cuando la tela estaba muy avanzada se le antojaba posar pensativa, con el codo en una columna griega, y otra vez de amazona inglesa..., a ver cuánto le iba a durar su satisfacción con su cesta de besugos a lo Álvarez de Sotomayor... Tere era imposible, declararon los dos, pero estuvieron de acuerdo en que era un personaje divertidísimo y que compensaba.

Se quedaron un momento en silencio uno junto al otro, con el perro quieto a su lado como si comprendiera, mirando el agua gris-limón del lago tan apacible en este atardecer. El pintor se quitó el chambergo para sentir la plenitud del aire penetrando su magnífica melena negra: la luz que bañó su rostro le reveló a Blanca una juventud antes no observada en sus facciones casi tan vulnerables —aunque su muda plegaria fue: ¡no, por Dios, esta vez no tanto!— como las de Paquito. Y con sorpresa que no supo si le agradaba o le desagradaba, vio que los ojos del pintor no eran en absoluto negros como había creído, sino transparentes, grises o color limón como el agua que contempla-

ban, y, advirtió con un escalofrío que reintegró la
sensibilidad de su espíritu a ese magnífico instrumento de sentir que era su cuerpo, exactamente
del mismo color de los ojos del perro. Éste, igual
que ellos, miraba el agua del lago: ojos color luna,
se dijo Blanca. Y porque iba a enloquecer si permitía que la envolviera todo esto, le preguntó a
Archibaldo:

—¿Cómo se llama?

—¿Quién?

—El perro.

—Luna.

—Pero si no es hembra...

Blanca enrojeció al escuchar sus propias palabras, que delataban el hecho de que había obser-
vado algo que era impropio de una dama observar: que Luna iba vestido de la más acariciable
franela gris clara que lo enfundaba entero, incluso
aquella parte que era feo ver y que sin embargo la
había instado a pronunciar su desatinada frase.
Blanca se puso seria, tiesa, muy *chic*, con los ojos
perdidos en la nada ante ella para que su abstrac-
ción le impidiera sentir —como estaba sintiendo
desde que sus palabras reinauguraron en ella una
serie de urgencias que por el momento recha-
zaba— este impulso de escapar a perderse donde
ni ese hombre ni ese perro pudieran jamás encon-
trarla, que no lograba vencer al impulso inverso

77

igualmente fuerte de inclinar su cuerpo un poco para sentir un poco, sólo un poco, la proximidad caliente del cuerpo de Archibaldo. Luna, como acudiendo en su auxilio porque la entendía, comenzó a caracolear como un loco de nuevo, poseído de una frenética compulsión que Blanca prefirió no descifrar para no tener que descifrarla en sí misma. Archibaldo, entretanto, con un lenguaje que era mezcla de dominio y ternura, y con la nerviosa fuerza de sus brazos, intentaba aplacar al cachorro que en sus correteos envolvió a Blanca con su cadena. Al desenredarla Archibaldo tiró al suelo, con un gesto imperioso para dominar al perro, la *cloche* de hule de Blanca: su cabellera se derramó por sus hombros.

—¿Por qué no suelta a ese pobre animal? —le preguntó ella cuando después de desenredarse y mientras volvía a ponerse la *cloche* comenzaron a caminar de nuevo, demasiado rápido porque Luna tiraba de la cadena.

—No se ponga el sombrero...

—¿Está usted loco? ¿En público y sin sombrero? ¿Que no le gusta...?

—Así, tal como estaba hace un minuto, con el lago gris-limón como fondo y la cabellera suelta, me gustaría pintarle un retrato.

—No podrá, porque me voy a cortar el pelo *à la garçonne*, como se usa...

—Le prohíbo que haga tal locura...

—¿Pero por qué no suelta a ese pobre animal, así podríamos pasear más tranquilos...?

—Es muy joven y tonto, podría perderse.

—Pobrecito.

El sol se iba poniendo. Nadie transitaba por el Retiro a esa hora. Sin darse cuenta —¿o él, que seguramente había hecho lo mismo con otras, lo maniobró así?— Blanca de pronto se encontró en un lugar casi encerrado por sombríos setos: con un pavoroso encogimiento de su sexo pensó que aquí, sin que nadie se diera cuenta, él, o cualquiera, podría ahorcarla, con la cadena de Luna, por ejemplo. Pero Luna ladraba y saltaba porque quería jugar, y casi como si estuviera entrenado para hacerlo volvió a enredar a Blanca con su cadena. Mientras las manos del pintor la liberaban ella se estaba decidiendo que había llegado el momento de enfadarse con él. Antes que pudiera llevar a cabo su propósito, sin embargo, él la tomó entre sus brazos. Ella no pudo dejar de debatirse un poco para apretar más su delicioso cuerpo que por primera vez parecía conocer entero, contra el de Archibaldo, que buscaba abrir sus muslos con su rodilla desesperada. Ella, al fingir debatirse, se iba entregando poco a poco más y más, y al negarle los labios iba permitiéndole que besara su rostro entero, su cuello, su nuca, hasta que Blanca ya no

79

pudo más y le entregó su boca que él abrió con la suya, arrebatándole la respiración y penetrándola con el ansia de su lengua: tuvo que soltar al perro, que a toda carrera y arrastrando su cadena se perdió en la penumbra del parque. Archibaldo metió la mano bajo su falda: Blanca no dejó de percibir la deleitada sorpresa de esa mano al comprobar que no llevaba bragas y encontrarse con la piel satinada de sus caderas, con la dulce curva del vientre que se perdía hacia abajo, en la blandura húmeda de la selva que esa mano iba acariciando. Ella le quitó su boca para murmurarle al oído:

—Aquí no...

—¿Dónde?

—¿No quieres pintar mi retrato?

—En mi estudio.

Todavía se besaban, se palpaban.

—¿Con cuántas, allí...?

—¿Qué importa?

Nada, pensó Blanca. Además había regresado Luna, tan juguetón y contento que saltaba como para besar a Archibaldo, para besar a Blanca, hasta que tuvieron que separarse. Mientras él cogía la cadena de su perro ella arregló su atuendo, escuchando cómo él la rogaba:

—¿Cuándo... cuándo...?

Salieron del boscaje hacia el camino.

—Mañana... a las seis. Encontrémonos como

por casualidad en la puerta principal de Correos...

Pero era alrededor de Blanca, no de Archibaldo, de quien caracoleaba y bailaba Luna, haciéndole fiestas, saltándole pesadamente encima, haciéndola reír. En los raros momentos en que se tranquilizaba ella le hacía mimos mientras los tres se encaminaban hacia la salida de Puerta de Alcalá porque comenzaba a caer la noche.

—Salga usted por aquí —le pidió Blanca—, por la puerta de Lagasca..., yo saldré por la otra. Hasta mañana...

—Adiós...

Cuando Blanca se alejaba, Luna comenzó a dar tales gemidos, a saltar de tal manera que Blanca tuvo que detenerse y volviéndose hacia él, rió:

—¿Qué te pasa, Luna, corazón?

—Quiere irse contigo.

—¡Pobre...!

—¿Por qué lo compadeces?

—Los que se encariñan conmigo, sufren.

Paquito. Don Mamerto. Pero riendo, el pintor la desafió:

—No éste.

—Podría ser la excepción.

—Podría...

—En todo caso, si no sufre uno, sufre el otro.

Eran cosas que le habían dicho las negras, que leía en Zamacois o Alberto Insúa. Archibaldo titubeó apenas, pero con un impulso se lo ofreció:

—Para probarte mi confianza permíteme rega-
lártelo.

—¿Estás loco...?

Ofendida, sintió como si el ofrecimiento de Archibaldo de regalarle su perro le propusiera un su-
cedáneo de su propia intimidad, no una medicina
sino un placebo. ¿O le estaba ofrendando, en
cambio, una intimidad mucho más riesgosa que la
alcanzada hasta ahora, aún mayor que la que ella
se proponía alcanzar mañana a partir de las seis?
Confundida, dio vuelta la espalda al hombre y al
perro que querían seguirla, encaminando sus menudos pasos hacia la Puerta de Alcalá.

Era —pensaba Blanca a medida que se apresu-
raba en dirección a la salida— como si muchas cosas hirvieran dentro de ella: deseo, vergüenza, temor, rabia. El deseo lo aceptaba, disfrutándolo
aún tan obsesivamente candente como era. Y la
vergüenza y el temor, bueno, al fin y al cabo una
señora como ella... y además en un sitio público
donde jamás osaría presentarse desprovista de un
sombrero a la última moda. ¿Pero por qué rabia?
¿Por qué esta tremenda rabia que le hacía lagri-
mear los ojos de tal manera que su *rimmel*, que iba
componiendo al salir del Retiro, quedaría hecho
un desastre? No, no era rabia contra Archibaldo,
todo tendón y nervio sensible, todo dulce deter-

minación de compartir la intimidad única con ella que la desconocía en su totalidad. Era otra rabia. Rabia de sentirse humillada, utilizada, abusada, como si dientes ávidos estuvieran mordiendo su bella carne que tanto la enorgullecía: Almanza. Sí, Almanza. Al localizar su rabia con precisión, el nombre del conde había saltado automáticamente a su conciencia. Sí, Almanza. Don Mamerto —uy, en fin, un Mamerto que, claro, no era el verdadero don Mamerto— se lo había dicho esta misma tarde. Frente a la Puerta de Alcalá, ya anochecida, se detuvo un instante: iría de nuevo al despacho de los Mamertos porque quería obtener de ellos más datos para humillar al conde. Miró su Patek Philippe. No: ya era demasiado tarde. Todos los Mamertos, cada uno con la mujer y los hijos correspondientes a su edad, descansaban de la jornada de honrado trabajo en torno a sus mesas camillas. Sin pensarlo —se dio cuenta sólo al llegar frente a Juan de Mena— había bajado muy de prisa por Alfonso XII. Cruzó a la otra acera y entró hasta Ruiz de Alarcón. Sí, porque además de todo, la hermosa casa de pisos en que el conde de Almanza vivía en Ruiz de Alarcón sin pagar ni una perra de alquiler era propiedad de Paquito, vale decir, suya. Se le ocurrió ir a manifestarle inmediatamente al conde, ya que por casualidad se encontraba en las inmediaciones de su casa, que muy conde sería, pero que para ella no era más que un caco de la peor especie.

Cuando al entrar la marquesa de Loria le dijo al portero "el conde de Almanza", éste, o porque la vio tan bella y de paso tan seguro, o porque Almanza, pese a su tan antiguo lío con Casilda recibía frecuentes visitas de mujeres que iban a entregársele, no le puso el menor obstáculo. Subiendo en el ascensor Blanca se sentó en la banquetita de terciopelo rojo para dar los últimos toques a sus labios, ahora con buena luz, que el amoroso desenfreno de Archibaldo había ajado. No, se dijo: mostrar su rabia sería indigno de una mujer de mundo que podía darse el lujo de estar por encima de menudencias. En cambio, si Almanza y Casilda se proponían utilizarla a ella, como estaba claro, ella utilizaría a Almanza que al fin y al cabo no era más que uno de sus tantos sirvientes. No podía negarse que pese a su seguridad en su propio instinto en tales materias prefería que mañana Archibaldo no se diera cuenta de su inexperiencia, ya que ni Paquito ni don Mamerto contaban como experiencias en ese sentido. Almanza, reconocidísimo holgazán, podía por lo menos retribuir su generosidad adiestrándola para su entrega de mañana, él, de quien se decía era perito en las lides del amor.

Fuera de esto, no podía negarse que temía, un poquito, hacerle daño a Archibaldo, porque su cuerpo enamorado —la carne demasiado hermosa, como la suya, era cuestión de hechicería, susurraban las oscuras viejas de su infancia en la noche cuando ella era una niña que no podía dormir porque no salía la luna— podía malograr al que estaba destinado a hacerla feliz. Pero eran tonteras de gente primitiva: ella era la marquesa de Loria, llevaba un vestido muy sencillo pero muy a la moda de Drecoll, leía a Rubén Darío y a Villaespesa en sus ratos de ocio, había asistido a alguna conferencia de García Sanchiz, tomaba té en el Ritz, y nada malo, por lo tanto, podía acaecerle. Abrió su cartera y con un cisne se dio un toque de polvos perfumados en la punta de la nariz. Entonces tocó la campanilla.

Almanza vestido con un pijama de cosaco de raso violeta, pero llevando una especie de horrible antifaz que le aplastaba los bigotes, entreabrió la puerta. La cerró de golpe. Tras un instante, ahora con los mostachos rampantes y arriscados, le abrió a Blanca de par en par la puerta de su casa.

—¿Puedo pasar...? —preguntó ella tímidamente, titubeando en el umbral.

—¡Qué honor!

Almanza le explicó que acababa, justamente, de hacer gimnasia, por eso lo encontraba así, en *déshabillé*. Es decir, había estado entreteniéndose un rato —y ahora que no estaba Casilda debía confesar que tenía mucho tiempo libre— levantando unas pesas: ya podía verlas ella misma en ese rincón, junto a su modesta biblioteca.

—¡Ah! ¡Es usted un intelectual! —exclamó ella acercándose a la estantería no sin antes observar que la mano de su suegra dominaba en forma despótica la decoración de ese piso que guardaba sólo un insignificante rincón para los trofeos ecuestres del conde. Además, observó Blanca, era un piso relativamente pequeño, en lo que se veía la avaricia de Casilda que ahorraba en todo para prodigarse placeres a sí misma.

—Caballero Audaz... Felipe Trigo... Vargas Vila... Hernández Catá... —iba leyendo Blanca en los lomos de los libros, dándole la espalda a Almanza que la seguía un poco confuso porque no comprendía la razón de tan intempestiva visita. Ella se dio vuelta bruscamente, y encarándolo le preguntó—: ¿Lee usted a Rubén Darío?

Los dos rostros estaban, ahora, muy cerca el uno del otro, el de Almanza congelado en una sonrisa de incrédulo regocijo.

—¿Sabía usted que es compatriota mío?

El conde tardó sólo unos segundos en absorber el posible significado de que ella, al pronunciar el nombre del divino Rubén, acercara dos centímetros, no más, pero dos centímetros llenos de deliciosa intención, su rostro juvenil al suyo. Tartamudeó un poco al responder:

—Pero..., pero por cierto —aunque recuperándose al instante prosiguió con el debido estilo—: ¿Quién que se precia de tener un alma sensible, de ser un hombre civilizado, en fin, no conoce "Era un aire suave, de pausados giros..."? Pero Blanca, no nos quedemos de pie. Pasa por aquí por favor, siéntate, ponte cómoda aquí en el diván, mira, te pondré este cojín en la espalda para que estés mejor, y este otro aquí para que descanses el brazo. ¿Quizás un poco más alto? ¿No? Bueno..., si así estás más cómoda. ¡Qué precioso vestido! Te felicito. Eres de las pocas mujeres en Madrid que saben conciliar el luto con el *chic*. ¿Quieres beber algo..., un poco de *pernod*...? ¿Un té? Lástima que justamente hoy sea el día libre de mi servicio.

¿O es que Casilda, cuando se va de viaje, te corta los víveres y te deja sin criados para ahorrar? No porque le apeteciera sino con el fin de hacerlo trabajar mientras ella se iba quitando los guantes con la lentitud de quien monda delicadísimos frutos, Blanca titubeó:

—¿A ver...? No sé..., tal vez sí...

Un bel homme, Almanza, con la musculatura —algo pesada para Blanca, que soñaba con amantes felinos— de sus pectorales relucientes en el raso violeta de su blusa de cosaco. Y su cabeza de prócer totalmente hueca —¡no lo iba a saber ella,

cuyo continente producía abundantes cosechas de
esos señores!—, pero colocada como la de una estatua sobre la construcción clásica de su cuello y
sus hombros. Al mirarla antes de obedecer sus de-
seos —que, como debía ser, para él eran órdenes—,
Blanca notó que el conde aspiraba de modo que se
hinchara su pecho y vibraran las aletas de su agui-
leña nariz, arqueando, a la vez, casi imperceptible-
mente, la ceja izquierda.

—Aunque no... pero sí. Sí. ¿Un té...? —rogó
ella.

Y dejó caer sus guantes junto a su rebajado zapato de charol. Almanza, al instante, se arrodilló
junto a ella para recogerlos. Blanca aprovechó ese
momento para cruzar una pierna sobre la otra de
modo que se deslizara la seda de su falda que descubrió su rodilla y más arriba de la liga, exactamente junto a los mostachos del conde, un cen-
tímetro de la tersa piel del muslo decorada por un
lunarcito. Arrodillado, él quiso trenzar la pasión
de su mirada con la de ella. Blanca la esquivó. No
obstante, Almanza depositó un ligero beso sobre
ese lunarcito, haciéndole cosquillas placentera-
mente con sus mostachos que iban a continuar su
caricia muslo arriba, pensó Blanca con un brote de
encantado rubor. Pero no: sólo si ella se lo permitía. Y no estaba dispuesta a permitirle este estilo
frívolo evidentemente tan fácil para él. Le asestó,

en cambio, una bofetada en el ojo izquierdo. Se puso de pie, furibunda ante la magnitud del ultraje. Él también se puso de pie, también furibundo, el ojo de la ceja antes enarcada ahora lagrimeando, su pecho casi rozando los pezones de Blanca dispuestos bajo la seda de su vestido. Ambos acezaban de ira, sus alientos mezclados, la pasión de sus miradas hecha un nudo. Le quedaba menos de medio segundo, calculó Blanca, para elegir: besar o no esos labios sombreados por el bigote. En cambio le dio otra bofetada a Almanza, con la otra mano, en el otro ojo, gritándole:

—¡Golfo!

Y otra palmada más:

—¡Chulo! ¡Se lo contaré a mi suegra!

Esta vez Almanza alcanzó a agarrarle la mano. De un empellón la tumbó en los cojines del diván y se dejó caer encima de ese turgente cuerpo que se debatía contra el suyo. Metió sus experimentadas manos bajo su falda, encontrando de inmediato en ella el centro eléctrico que encendía y humedecía, con lo que Almanza no dudaba vencer. Blanca, toda fuego, a pesar de todo pataleaba y rasguñaba mientras él iba rasgándole el vestido, dejando expuestos sus pechos que mordía sin misericordia, haciéndola chillar enloquecida entre los improperios que su linda boca lanzaba —ladrón, chulo, viejo, sinvergüenza, ladrón, la nogaleda, el caballo, Casilda, el piso, cínico, hipócrita—, cruzándose de muslos para rechazar esas caricias que no eran caricias sino una insultante agresión de depurada técnica, para que el conde no conociera el secreto interior de su cuerpo con esa palanca de hierro cuya fuerza estaba separando sus dos cuerpos ya casi desnudos entre los jirones de sus ropas. Si Almanza quería algo que se diera el trabajo de violarla pese a que sus uñas manicuradas en punta rasguñaban el rostro del conde hasta hacerlo sangrar y rasgaban su blusa de cosaco exponiendo sus pectorales vellosos. Sus insultos —puta, cursi, entrometida, creía que él no se daba cuenta, bastaba ya de pretensiones, si las ganas se le notaban en el olor que se sentía desde lejos, que para qué había venido a su casa, entonces, ramera— sólo la tornaban más bravía y ni siquiera le entregaba la boca ni relajaba sus muslos mientras ambos se revolvían juntos en los cojines. ¡Qué se creía esta americana de mierda...! Almanza la planchó con su poderoso cuerpo. Tomó un cojín de raso que aplastó contra ese rostro embellecido por el terror y la furia y el evidente deseo: sí, que tuviera miedo. Que se ahogara de terror frente a él que era un hombre de verdad, no un pelele como Paquito. Que intentara insultarlo ahora que ni siquiera podía respirar.

Cuando el pavor que la tornó exánime —no podía ser otra cosa— la hizo relajar sus maravillosos muslos, el conde la penetró con una de sus famosas embestidas, sintiendo la espléndida golosura con que ella lo devoraba. Quitó el cojín que tenía sobre ese rostro gloriosamente bello con sus ojos cerrados y llorosos pero que él quería ver abiertos, brillantes, redondos y vivarachos como le gustaban: retiró su miembro del capullo que lo aprisionaba. Sólo entonces, disgustada, Blanca abrió sus ojos implorantes, aterrados de perderlo todo, y rodeando la cintura del conde con el nudo de sus muslos lo atrajo de nuevo sobre sí. Abrió sus labios para aceptar su boca y devorar su lengua.

Él, entonces, esta vez, la fue penetrando suavemente, como tan bien sabía hacerlo —incluso pareciendo no tener intenciones de hacerlo— hasta una profundidad de su persona que la marquesita viuda de Loria ni siquiera sospechaba poseer, durante un tiempo que se prolongó anochecido, caliente y húmedo, hasta lo que a ambos les pareció una versión perfectamente satisfactoria del infinito.

CAPÍTULO CINCO

¿De modo que esto era...?

Se hacía tarde y no lograba dormir. Revolviéndose entre las sábanas de su lecho bajo el nuevo *baldacchino*, su vigilia era mantenida como por los aullidos de una manada de bestias que ninguna relación tenían, por cierto, con el conde de Almanza, que de todo tenía menos de bestia. Éste le había implorado con sus más azucaradas palabras que se quedara a pasar la noche con él. Pero Blanca se negó a hacerlo advirtiéndole que ni ahora ni nunca estaría dispuesta a violar las convenciones, ya que veía en el hecho de acatarlas el lujo definitivo: su servicio, para comenzar, se extrañaría muchísimo si llegara incluso un poco tarde, sobre todo habiéndola visto partir vestida tan sencillamente después del almuerzo para dirigirse al despacho del notario. No necesitaba recordarle a un caballero como él que hasta estos detalles era necesario cuidar en esta gran villa que vivía del cotilleo, como si todos sus habitantes fueran porteras. Él, contradiciéndose con el propósito de convencerla —Blanca jamás olvidaría que en un arrebato de cólera la llamó cursi, acusación que una americana jamás olvida—, la exhortaba a la audacia, asegurándole que su posición en Madrid era tan segura que podía hacer lo que se le antojara y la gente siempre la respetaría porque la fortuna de los Loria, bueno, la fortuna suya era..., vamos, eso: respetable...

Serían las once de la noche cuando el adormilado portero de su casa le abrió la puerta para dejarla entrar, muy de prisa con el propósito de disimular los harapos en que había quedado convertido su precioso vestido. Pero no pudo dormir. ¿Eran las doce..., las doce y media...? ¿Tomar veronal, como Casilda? Hacía una eternidad que se daba vueltas entre las sábanas. Pese a la aspereza de los aullidos en la calle, sentía como si las diestras caricias del conde de Almanza hubieran afinado su cuerpo como un instrumento exquisitamente sensible, transformándolo, a la vez, en un lujoso objeto de la más mullida seda: jamás fue tan bello, ni tan pleno, ni tan joven, ni tan ligero. Varias veces durante su inexplicable insomnio se había levantado de su lecho de raso color fresa para contemplarse desnuda en el espejo que, después de la muerte de Paquito, colgaba en el dormitorio nupcial al cual de viuda había vuelto. Se divertía unos instantes —en esos momentos los ladridos parecían sólo ecos lejanísimos— ensayando frente al espejo, pero sola, o más bien con su propia sombra, alguna de las poses que el amor del conde de Almanza, con su inextinguible sabiduría en estas artes, le acababa de enseñar y que ella se proponía poner en práctica mañana. Porque a pesar del placer, todo había sido un ensayo. Igual a Paquito. Igual a don Mamerto...

¿Era el perro del vecino el que ladraba y no la dejaba dormir? Siempre lo oía vagamente, desde lejos. No obstante, esta noche lo sentía multiplicado y demasiado cerca. Pero en fin, ahora que había "vivido", tenía mucho en qué pensar, mucho que recordar: en el limbo de su mente ya no flotaban las ineficaces ánimas de sus dos víctimas anteriores. Pensó fugazmente que Almanza, al venir a dejarla a su casa anoche en su modesto pero flamante Ford —que seguramente ella financiaba—, ebrio de amor quizás se hubiera estrellado contra un árbol en su regreso a Ruiz de Alarcón, muriendo al instante y ojalá con muy poca sangre, todo a causa de su contacto con ella. Pero no: Almanza no moriría porque no había sentido ninguna emoción por ella, ni ella por él. Placer, sí: todo el placer imaginado, todo el que jamás se hubiera atrevido a imaginar. Pero sentirlo como persona, como ser humano incorporado a ese placer y disfrutándolo con ella, como la tentativa de hacer una y reconocer como válidas dos fantasías personales distintas y trenzarlas en un emocionado dar y recibir de personas insustituibles, no, eso no. Por eso, Almanza, que no era vulnerable, no moriría. Tendida desnuda en los cojines del diván, después, ella había lloriqueado un poco por esto, pero como prefirió no explicar sus lágrimas a quien no las podría entender, le dijo que lloraba porque se encontraba tan sola, sin padres ni parientes, extranjera pese al título y la fortuna. Que él no la respetaba, en suma, porque no tenía a nadie que la defendiera. A lo que Almanza observó:

—Francamente, mi querida Blanca, me parece que yo, en esta batalla, no tú, sería quien necesitaría defensa.

Ella se secó las lágrimas. Repuso:

—Pues... sí.

Y fue Blanca quien violó al conde en ese mismo instante, sobre la alfombra de Bokhara junto al diván. Ahora, escuchando los inquietantes rumores de la calle que no la dejaban dormir, pensó con envidia que el conde de Almanza, ahíto y después de echarse al cuerpo un buen trago de coñac, estaría durmiendo a pierna suelta y tal vez roncando, con sus bigoteras puestas.

Blanca se dio otra vuelta en la cama. Se cubrió la cabeza con la sábana. Recordaba que cuando muy, muy pequeña, siempre le estaban prometiendo llevarla a conocer el mar como recompensa si se portaba bien, sobre todo las mestizas que jamás habían visto el mar y que además carecían de poder para otorgarle ese premio: lo inmenso que era, decían, el horizonte tan vasto, tan azul, las olas interminables en que la vista se perdía. Cuando por fin, tras tanto esperar, la llevaron a hacer ese viaje, al divisar el mar por primera vez desde lo alto de una colina, le comentó a su asombrada familia:

—¡No es tan grande como me habían dicho!

Algo que existía sólo en la palabra de los que no lo conocían, que no era más que la formulación de una leyenda, de una fantasía, faltó para Blanca en ésa, su primera visión del océano: un algo que era algo más que el algo que sin duda era. Anoche, con Almanza, fue como gozar hundiéndose en las cálidas ondas del Caribe, como nadar sin riesgo en esa purísima aguamarina, como sentir toda la sal y el sol de la infancia diseñando la forma de su cuerpo, dejarse llevar, mecer, arrullar..., todo muy esencial, muy maravilloso. Pero le faltó lo mismo que echó de menos en esa primera visión del mar cuando era una niña tan pequeña que se le permitía sentir y decir verdades: no fue, decididamente, la devastadora aventura proyectada por la magnífica ambigüedad de la palabra, sobre todo refractada en la imaginación de los que, de uno o de otro modo, estaban incapacitados para tomar parte en ella.

Pensaba, eso sí, volver a utilizar a Almanza. Anoche, él le propuso huir juntos, incluso, si ella lo exigía, a Nicaragua, donde fácilmente se podrían hacer proclamar lo equivalente a reyes. Le confió estar harto de Casilda, de su frialdad y su avaricia, de su inaguantable narcisismo que doblegaba a todos: la repetición del pecado lo sacralizaba, convirtiéndolo en lo más aburrido del mundo. Blanca se dio el gusto de reírse en sus narices de su proposición de matrimonio —que eso era—, objetando que su propuesta era una alianza que a ella en nada la beneficiaría, no una unión de amor como con Paquito, aunque tuvo buen cuidado de no confiarle las omisiones de que ésta adoleció. Mientras escuchaba los ladridos del perro que le impedían dormir se dio cuenta que aquello que la había hecho rechazar a Almanza era, en esencia, que no podía matarlo: no era vulnerable. Dejaba algo —sabiamente, sin duda, y quizás mucho, adivinó— afuera del lecho del amor, de modo que en ningún momento se proponía como víctima de sus brazos divinos e infernales, como don Mamerto, por ejemplo, a quien la edad había tornado tan vulnerable que lo pudo eliminar como quien dijera con un soplido, o como el pobre Paquito, que se había entregado a ella de manera completa dentro de su lamentable limitación. La impecable *performance* del conde de Almanza había sido pura destreza, pura técnica, pura mecánica, algo que existía antes que ella, con quien nada tenía que ver. El ritmo, la audacia, el *crescendo* calculado en todos sus bemoles, las caricias, la búsqueda, el deslumbrante descubrimiento de los lugares más sensibles de la anatomía, el aventurarse primero por aquí, luego por allá, todo lo calculadamente heterodoxo: sí, fue como una clase magistral. No más que eso.

¿Pero qué más quería, si eso fue a buscar en la calle Ruiz de Alarcón?

Si el perro del vecino no ladrara tanto tal vez lograría encontrar una respuesta que dejara satisfecho por lo menos por esta noche a sus pobres nervios. Las sábanas hervían, envolviéndola no con el ardor de los poderosos músculos del conde sino con la maldición de una fiebre. El paliativo, como siempre, se encontraba en ella misma: con la luz apagada, la sábana cubriéndola, acarició su cuerpo tan amado hasta llegar a la "perla hundida del ombligo" como le citó el conde sin lograr más que hacerla reír con un verso que leído resultaba emocionante. Hurgó allí, y más abajo, en la ternura de su vellón casi no animal, buscando su centro obediente que jamás le había fallado. Sin tocarlo, primero, simplemente rotando las caderas, uniendo y frotando con cierta fuerza sus muslos desde el vértice mismo, dejando que el hilo de la sábana acariciara apenas las puntas de sus pezones, estaba sintiendo algo que, por mucho que su imaginación evocara primero a Almanza como el más diestro, luego a Paquito como el más amado, luego al pobre don Mamerto, no podría nunca sentir..., a no ser que lo sintiera mañana, con Archibaldo. Pero sobre todo no podía proponérselo como proyecto: Archibaldo la esperaba, amante, bello, divertido. Iba a llevarla más allá del simple placer con el fin de que éste fuera completo. Evocando la figura del pintor junto al agua gris-limón del crepúsculo reflejada en sus ojos, Blanca, casi sin moverse, sin tocarse, llegó como nunca antes justo al borde y estaba a punto de zambullirse en el agua de esos ojos cuando los insoportables ladridos se alzaron como una llamarada justo al pie de su ventana, insistentes, dementes, exigentes. Rabiosa, Blanca saltó de su cama y abrió la ventana. Abajo, en la calle oscura, reconoció por entre las rejas de su palacete una forma animal más oscura que la noche, que caracoleaba y gemía. Dos ojos color gris-limón brillaban mirándola por entre los barrotes.

—Luna... —exclamó muy bajo y se escondió tras el postigo.

Se quedó observando la inexplicable presencia

del perro.

—Márchate —lo mandó con un blando susurro, sabiendo que el perro ni la oiría ni la obedecería.

Pero Luna, al saberla —¿al olerla?— espiándolo desde detrás de la celosía redobló sus ladridos. Ahora veía la silueta de su cuerpo alzada, apoyando sus patas delanteras en la reja, ladrándole directamente a ella como si quisiera convencerla de algo. Blanca temió que en esa solitaria calle acudiera un sereno a espantar a Luna, o peor, a llevárselo. Tenía que hacer algo. No iba a dejar a ese pobre perro loco gimiendo toda la noche en la reja de su casa.

Cerró con sigilo la celosía —era necesario que el perro no creyera que se desinteresaba— y abrió su armario, de donde sacó un salto de cama de brocato rosa para cubrir su camisón demasiado leve. Encendiendo pocas luces, con cuidado para no despertar a nadie, ni a su doncella que dormía pocos cuartos más allá, descendió a la planta baja y se dirigió a la puerta de la calle. Descorrió los cerrojos. Luego bajo las gradas, cruzó el breve antejardín, abrió la cancela y salió a la acera. O más bien quiso hacerlo: no tuvo ocasión, sin embargo, porque Luna, que la esperaba callado afuera, en cuanto abrió se abalanzó sobre ella, saltando y besándola sin gemir, como si no quisiera delatar su presencia junto a Blanca en el centro de un secreto que a ambos envolvía. Hizo entrar al perro y cerró la reja. Avanzaron por el sendero de gravilla rodeado de altos rosales, ella hablándole, calmándolo, acariciándole el lomo. Tenemos que entrar muy calladitos, le iba diciendo, que nadie sepa que tú y yo estamos juntos, no despertemos a nadie porque les puede extrañar que nos conozcamos. Palpando el suave abrigo de franela gris de Luna subieron juntos las gradas hasta la entrada, cerró la puerta y subieron la escalera de mármol vigilados sólo por las miradas, ahora ciegas, de las garzas de los vitrales.

Al llegar a su dormitorio, preguntándole a Luna por qué había ido a buscarla o a visitarla, por qué huyó de casa de su amo, por qué la eligió entre tantas, Blanca iba encendiendo todas las luces de su habitación de modo que la plata y el cristal de su tocador resplandecieran, y los espejos, y los bronces de los muebles, y el raso, y las lágrimas de la araña. Luna se sentó: sus ojos inteligentísimos no dejaban de admirarlo todo y luego mirarla a ella como aprobando tanta opulencia.

—¿Te gustaría comer algo? —preguntó Blanca como a cualquier invitado—. ¿O beber...?

Luna se quedó mirándola, aceptando el ofrecimiento. Blanca le rogó que se quedara tranquilito mientras ella buscaba algo que traerle. ¿Qué comen los perros? Carne, supuso, y bajó a la cocina a buscarla. Allí encontró trozos sanguinolentos que, pese al asco inicial, al apilarlos en un plato, le fueron pareciendo apetitosos. Se lavó los dedos. Recogió los pliegues de su bata rosada. Con el plato de carne cruda en la mano volvió a subir la escalera de mármol y entró en su dormitorio, que cerró con doble llave. Buscó a Luna entre tanto resplandor de plata y cristal: lo encontró enrollado sobre sí mismo al pie de su cama, en un nido de raso, contemplando su entrada con sus ojos asombrosos. No saltó de la cama hasta que ella lo llamó:

—Luna, ven...

Dejó el plato sobre la alfombra. El perro, sin abalanzarse, devoró toda la carne, lamiendo la sangre de los bordes del plato que quedó perfectamente limpio. Luego el perro volvió a subirse a la cama y se enroscó, satisfecho, donde antes estaba, lugar del cual parecía haberse apropiado. Blanca se quitó la bata. Después de apagar todas las luces abrió un poco la ventana para que entrara el aire primaveral y se metió en la cama.

Ahora que el perro había comido bien, acomodado en esta habitación cuyo lujo aprobaba, ya no ladraría ni gemiría. La dejaría dormir. No obstante Blanca vio brillar en la oscuridad al pie de su lecho esos dos ojos pálidos, gris-limón líquidos. ¿Por qué la miraban así? ¿Qué querían? Algo querían esos ojos acuosos que no se apagaban como se habían apagado sus ladridos. ¿Cómo apagarlos? ¿O para qué apagarlos?

Sus manos se refugiaron en la inevitable hendidura entre muslos. El botoncito mágico, esta vez, respondió, casi se podría decir que salió al encuentro de la caricia de sus dulces yemas con las que tan buen entendimiento tenía, el dedo anular, el más débil, era también el más diestro para iniciar la lenta búsqueda del ritmo bajo la sábana, el juego en la oscuridad de una niñez tropical recobrada frente a esas dos lunas castas y gemelas que la observaban —una luna muy baja, allá en el cielo junto al horizonte; otra luna reflejada en el caluroso mar del nocturno caribeño, dos lunas que eran una sola— como estos dos ojos que conformaban una sola mirada mirándola sin comprender pero yendo más allá de toda comprensión: ella y Archibaldo eran como dos lunas que eran dos ojos, pero una sola luna, una sola mirada, un solo placer. Quiso incorporar la fantasía de Archibaldo a su juego solitario, pero justo en el momento de proponérselo las dos lunas se extinguieron porque el perro las cubrió con sus párpados y ella se quedó dormida hasta la mañana siguiente.

Cuando despertó, tibia y contenta, su primer impulso, como todas las mañanas, fue llamar a Hortensia, su doncella, para que le trajera el desayuno y decidir qué vestido se iba a poner ese día. Estiró el brazo para hacerlo. Vio a Luna despierto ya, enroscado en la misma posición que antes en el nido de raso a los pies de su cama.

—Buenos días, corazón... —susurró Blanca.

Y el perro, alborozado —sin gemir ni ladrar, como si toda su relación con la marquesita fuera un apasionante secreto—, acudió a ella, lamiéndole cariñoso la cara y resoplando sobre ella con el tierno morro peludo, la gran lengua de papilas enormes lamiéndole los brazos, los hombros desnudos, las manos. Después, Luna saltó al suelo. La miró fijo. El perro, ya dueño de su atención, inició pequeñas carreritas por el dormitorio, arqueando el lomo, agachando la cabeza y subiendo el trasero y levantando la cola, incitándola a correr y a jugar con él. Blanca comprendió. Aunque se hallaba un poco fatigada después de la agitación de ayer corrió con Luna, enredándose como una chiquilla en sillas, en mesitas ennoblecidas por bronces, en la cama misma, persiguiéndola como a un niño, como el cachorro que era, escondiéndose detrás de los muebles y al encontrarse se abrazaban, prodigándose mutuas caricias, revolcándose juguetones en la cama, besando su tibio belfo peludo. En el momento más sorpresivo de una carrera Luna alzó una pata. Antes que Blanca pudiera impedirlo Luna orinó la seda que tapizaba la pared.

—¡Luna! ¡Malo! ¡Mira lo que has hecho! ¿Cómo le voy a explicar a Hortensia, que es tan entrometida, lo que ha sucedido aquí?

Después, tuvo que ahogar un grito para que no la oyeran desde afuera: Luna, semisentado sobre la colcha de raso de su cama, estaba defecando. Horrorizada, corrió en busca de una hoja de periódico, con que tomó el excremento y lo tiró al inodoro. Se pasó el resto de la mañana tratando de lavar la seda sucia del muro, su colcha manchada, pero sin abrir la puerta a su doncella, que varias veces llamó preguntándole si necesitaba algo. Le respondió que no. Que la dejara descansar. Se levantaría un poco más tarde para ir a su clase de *tennis* en Puerta de Hierro: que Mario tuviera listo el Isotta-Fraschini a las once y media en punto.

Cuando llegó la hora de vestirse encerró a Luna en el lavabo, rogándole que se estuviera quieto hasta que ella volviera a abrirle. Entonces entró Hortensia brillante con los chismes de la mañana, trayéndole su inmaculada tenida de *tennis* —prefería partir vestida de su casa para no sentir la tentación de ir a ninguna parte después de la clase— que la ayudó a ponerse: la faldita plisada, la cinta blanca estilo Suzanne Lenglen para mantener en su sitio el pelo. Mientras la ayudaba,

Hortensia observó que, no sabía por qué pero ella ya lo había notado a veces en primavera, sentía un olor en la habitación de la señora marquesa esa mañana, entre agradable y desagradable pero en todo caso muy distinto al olor de otras mañanas. Blanca despachó a Hortensia. Hizo salir a Luna del lavabo: que se estuviera quieto, le rogó, que no hiciera ruido alguno. Ella regresaría a la hora de almorzar para estar con él, y luego, en la tarde, cuando fuera hora, lo llevaría a casa de su amo, de donde nunca, ni por amor a ella, debió haberse escapado.

Cuando Blanca cerró la puerta de su dormitorio con llave, mandó a Hortensia que no intentara entrar en él hasta su regreso. Todo esto sin darle ninguna explicación. Reflexionó sobre las ventajas que tiene ser poderoso: las acciones de éstos, se dijo, no son más que acciones puras —no es necesario justificarlas, sino que simplemente son lo que son—. Hortensia no tenía para qué entender nada. Ella era el ama: podía pasar la esponja sobre la pizarra para borrar lo que quisiera, cuando quisiera. Hortensia no tenía para qué poner esa cara compungida, como si la estuviera ofendiendo mortalmente.

CAPÍTULO

SEIS

Eran cerca de las doce y media cuando Blanca Loria llegó a Puerta de Hierro y preguntó por Miss Merrington, su profesora de *tennis*. Le dijeron que le había dejado un mensaje rogando que la disculpara porque se iba a retrasar unos veinte minutos esta mañana. ¡Cosas de inglesas, se dijo Blanca, que jamás lograrán comprender que veinte minutos no son atraso! Se dirigió al prado, a esta hora casi desierto, ensayando imaginarios saques, encantada con la imagen de aun esta otra posibilidad de sí misma: sí, le sugeriría a Archibaldo que la retratara así, el arquetipo de la chica moderna y deportiva, toda de blanco, en contraste con el agua gris-limón del estanque del Retiro como fondo. No era mala idea. Su cuadro preferido era *Las bañistas* de Paul Chabas, y se veía retratada como una bañista vestida. Era, en realidad, una idea excelente..., tan excelente que sintió ansias de huir al instante para acudir donde el pintor ahora mismo. ¿Pero para qué huir, y de quién? Bastaba resolverse a partir, se dijo, porque lo que necesitaba ahora mismo era saber lo que su cuerpo, es decir ella misma, era capaz de sentir. Miss Merrington, el *tennis*, eran ineficaces sustitutos. La forma definitiva de gozar la dulce plenitud de su existencia era sólo en la penumbra del desconocido estudio de Archibaldo, casi sin moverse, casi adormecida durante horas y horas en sus brazos, mientras mutuamente se acariciaban con tan poca premura como si no llevaran ninguna intención más que la del deleite de ese momento y esa caricia. Sí: iría al instante. ¿Para qué esperar la hora de la cita si él, como ella, no podía hacer nada durante todo el día más que prepararse para la hora del encuentro? Porque lo desesperaba estar separado de ella le había enviado a Luna: el perro no había huido, era su mensajero.

Desde el otro lado del prado, sentada a una mesita bajo un quitasol a rayas, la llamó a gritos Tere Castillo como si no la viera desde hacía siglos. Blanca, sintiendo bambolear sus pechos bajo la ligera blusa corrió a sentarse junto a ella y a una francesa tan extravagante —no sólo el pelo cortado *à la garçonne*, sino el *chevalière* en el meñique poderoso, la voz gruesa, el traje sastre de casimir, la corbata, los zapatos casi sin tacones— que si no viniera escoltada por Tere, siempre bienvenida en todos los sitios de Madrid, no la hubieran dejado poner ni un pie en Puerta de Hierro pese a la hilera de títulos con que su amiga la presentó: Blanca, en cambio, fue presentada simplemente como *la belle-fille de Casilde*. Casi sin mirarla, y sin dirigirse a ella, la francesa continuó su perorata condenatoria de la conducta de cierta amiga en común, perorata que terminaba con la palabra *débauchée*.

—¿Qué significa *débauchée*...? —preguntó Blanca, puesto que era una palabra que no existía en el léxico de las monjitas de Nicaragua ni de Madrid.

La francesa frenó su catarata de palabras. Fijó a Blanca con el alfiler de su mirada. Dirigiéndose directamente a ella por primera vez, le respondió:

—*C'est la manière dont vous couriez tout à l'heure, ma petite.*

La conversación siguió apasionadamente remansada alrededor del tema de la belleza de Blanca: una verdadera maravilla, sobre todo ruborizada, como ahora —eso era tan *primitivo*—, por los halagos de la extranjera. Claro, agregó ésta, que siendo española no se le podía exigir el *chic* de una francesa, ya que hoy nadie que llevara el pelo como ella podía aspirar a tan alto calificativo. Era de la mayor urgencia que se cortara el pelo exactamente igual al suyo —y le mostró su repulsivo cuello rasurado—, o a lo Clara Bow:

locamente *ébouriffée*. Clara Bow, opinó Tere. *Garçonne*, opinó la francesa. Y para demostrarlo, la dama tomó el pelo de Blanca, tirándoselo para atrás, obligándola a contemplarse en el espejo de su polvera. Sí, le quedaba bien, se dijo Blanca: como un precioso muchachito al que el perverso de Almanza podría hacerle ciertas cosas que ella ahora sabía. La extraña francesa se quejaba de su último amor:

—...*un jeune poète, beau, subtil, intelligent, cruel...*

Tere susurró al oído de Blanca que se trataba apenas de un crío, que era inexplicable que estuviera enamorado de esta mujer de más de cuarenta años. La francesa miró estupefacta a las otras:

—*Mais c'est le décalage. Il faut absolument le décalage.*

Por suerte que en España no era tan necesaria esa diferencia, penso Blanca, levantándose. Mientras menos *décalage*, como con Archibaldo, mejor: él le llevaba algunos años pero no faltaba simetría. Por eso él le había enviado los ojos crepusculares de su perro, que ella no le devolvería jamás, quedándose para siempre con esa parte de Archibaldo que era el perro enamorado de ella, y hasta siempre esos ojos crepusculares alumbrarían su sueño. No. Nada de francesas *à la garçonne*. Nada de *tennis* ni de Miss Merrington. Miró su Patek Philippe. Exclamando que iba terriblemente atrasada a una cita, se despidió, corriendo hasta su coche no sin fingir un saque de vez en cuando para que desde debajo del quitasol donde quedaron sorbiendo jerez las dos mujeres se dieran el placer de mirarla encarnar esa palabra francesa que ella no conocía.

Mario puso en marcha el motor. No le preguntó a la señora marquesa adónde quería que la llevara porque era natural que con esa indumentaria y a esa hora fuera sólo a una parte: a Castelló casi esquina Lista, su casa. Pero ella se dirigía a Plaza de Chamberí, número ocho. Justo antes de llegar a la Cibeles, como Blanca sabía que el mecánico enfilaría hacia Velázquez, su recorrido preferido, abrió el cristal que la separaba del italiano y lo mandó doblar hacia la izquierda por la Castellana. El cuello de Mario, rasurado como el de la francesa sólo que más joven y más fuerte, se endureció con este cambio de su rutina. Hortensia estaba enamoradísima de él, pero Blanca, que guardaba siniestros recuerdos infantiles de la excesiva familiaridad con los criados, no estimulaba sus confidencias aunque hacía ciertas concesiones para que el día de salida de ambos coincidiera. Al llegar a Colón, Blanca lo mandó doblar a la izquierda por Génova. Esta vez Mario dio un respingo al obedecerla. En Alonso Martínez lo mandó doblar por García Morato a la derecha:

visiblemente disgustado, sus tendones apretaban la nuca del mecánico. El silencio, habitual entre ambos, se hizo tenso por el solo hecho de que permanecía abierto el cristal que ahora no los separaba.

—Déjeme aquí —dijo Blanca al llegar a la plaza.

—¿A qué número va la señora marquesa?

—Déjeme en esta esquina.

—¿Va a bajar así...?

Como no tenía tiempo para enfadarse por esta admonición, Blanca lo despachó.

¿Y si Archibaldo no estuviera a esta hora en su estudio? Esperó que el Isotta-Fraschini se perdiera por el Paseo del Cisne para comenzar su búsqueda del número ocho. Los transeúntes se volvían para mirarla: esa joven tan bella, tan asombrosamente atrevida, con la cabeza desnuda y una Dunlop en la mano: visión insólita en este barrio de falsas *flappers*, aún rígidas de ballenas pasadas de moda bajo sus vestidos falsamente atrevidos, invariablemente y paradójicamente dirigiéndose a confesarse o regresando de sus visitas de pobre. Pero advirtió que aun ellas la perdonaban porque era demasiado bella e insinuante, y se veía demasiado luminosamente feliz para que no fuera un placer mirarla. ¿Qué le importaba si por casualidad se encontraba con un conocido? Cuando mucho se lo comentarían a Casilda como una extravagancia de americana. ¿Y qué le importaba a ella lo que pensara Casilda? Ella iba a visitar a Archibaldo, de quien casi seguramente estaba enamorada. O de quien casi seguramente se enamoraría. Él, que era un gran artista, casi como Paul Chabas, iba a pintarle un retrato de no va más. ¿Esta casa era el número ocho? No estaba mal esta coquetona casa de pisos muy moderna, con gigantescos jarrones a medio relieve a ambos lados del portal y guirnaldas de estuco alrededor de las ventanas. ¡Ella, que creía que los pintores vivían en buhardillas fétidas de aceite frito, de esas con jaulas de pájaro en todos los balcones y ropa colgada, allá detrás de la Plaza Mayor!

Fue tan cordial la bienvenida de Archibaldo que Blanca no dejó de sentir cierta desilusión ante la ausencia de un ataque sexual instantáneo: sí, que se hubiera lanzado sobre ella para poseerla allí mismo, sobre la alfombra roja de la tarima donde seguramente posaba la modelo. La sencilla cortesía del pintor fue tal, en cambio, que hasta llevaba cierto dejo de timidez que Blanca no estaba muy segura si le gustaba o no. ¿O sería vergüenza por haber dejado escapar el perro? Se propuso no preguntarle nada sobre él: que él se lo explicara todo como parte de su gran amor por ella.

Era la una y media, le dijo Blanca al entrar:

119

venía sólo muy de pasada. Había aprovechado su mañana en Puerta de Hierro para que la viera así, en tenida blanca de *tennis*, por si le gustaba la idea de retratarla así. Risueño ante la ocurrencia, el pintor entusiasmado declaró que le parecía una innovación muy atrevida que seguramente daría mucho que hablar. Blanca se había acercado a la gran ventana abierta sobre las copas de los árboles de la Plaza de Chamberí, y se quedó mirándolos. Él, que permaneció unos pasos más atrás escuchando las mundanas manifestaciones de entusiasmo de Blanca por la vista desde el estudio, avanzó para compartir con ella lo que veía, casi tocando con su cuerpo la espalda de Blanca, apoyando su mano en el borde de la ventana de modo que, sin tocarla, la curva de su brazo contuviera a la marquesita.

—¿Realmente, le gusta...?

—Me encanta —dijo ella, dándose vuelta bruscamente hacia él de modo que quedó casi prisionera. Él no se movió. Sólo sonreía: los ojos de ella, tan cerca de los suyos, vieron que los ojos del pintor no eran gris-limón porque se los había enviado de regalo a ella con su perro. Vio, en cambio, sonriéndole, los ojos negros del primer día. Los sentía aún escocer en sus corvas cuando la miró huir escalinata arriba mientras el perro ladraba... y esos dientes blanquísimos rodeados por su irresistible barba negra: ella se la tocó.

—¡Pica! —dijo.

Archibaldo le acarició el pelo.

—Tu pelo, en cambio, no...

—Su amiga Tere Castillo —mintió Blanca para azuzarlo— me prometió llevarme esta semana a una peluquería para cortármelo a lo Clara Bow...

Archibaldo, inclinándose apenas, le dio un beso muy liviano en los labios sin dejar de permanecer apoyado con su mano en la ventana. Luego alejó el rostro: volvió a sonreírle, trenzando su sonrisa con la de ella. El escalofrío de placer que sintió Blanca llegó mucho más hondo que si le hubiera metido la mano en el escote para acariciarle los senos. El estudio estaba inundado por la incomparable luz madrileña de las mañanas primaverales que todo lo transforma en porcelana. Chales de vivos colores colgaban de las paredes, había un mantón drapeado de un aparatoso marco. Vio cojines, bocetos, cuadros al revés adosados al muro por todos lados, en un aparente desorden, pero todo, en realidad, sintió Blanca, con una especie de estructura interna que correspondía a una sensibilidad, a una manera de ver la vida que a ella la excitaba. En la penumbra de un biombo decorado con lirios y golondrinas divisó una cama en el acogedor rincón adornado con una piel de leopardo y un frasco con plumas de pavo real.

121

—No —dijo él refiriéndose a algo dicho por ella, al parecer un siglo atrás, antes del beso, y cuya memoria éste hizo desvanecerse.

—¡Qué estudio con tanto ambiente! —exclamó Blanca.

—Vi pasar a Tere Castillo esta mañana —dijo Archibaldo, ambos, aún, un poquito en encantadora tensión—. Miró hacia arriba y la vi con sus plumas desde este mismo sitio donde estamos ahora, pero me escondí temiendo que se le ocurriera subir a exigirme que la acompañara a pasear. Ya no salgo más con ella. La última vez me obligó a acompañarla a la Gran Vía. Iba vestida de rojo y amarillo, parecía una bandera y todo el mundo se cuadraba ante ella. Yo hacía esfuerzos por arriarla, pero nada, la gente se ponía a marchar como en un desfile... porque claro, Tere es inarriable...

Blanca soltó una carcajada, tan independiente de otra cosa que no fuera pura diversión, que apenas alcanzó a apretar los muslos para no hacerse pis, una pequeña tragedia que le había sucedido cuando se rió tanto en el estreno de *¡Mecachis, qué guapo soy!* de Arniches. Como se dio cuenta que la divertía, Archibaldo continuó:

—Lo peor fue cuando cruzamos la calle, porque los policías detuvieron el tráfico, y Tere, claro, feliz, saludaba a diestra y siniestra como si todo eso fuera lo más natural del mundo...

Blanca desfallecía de la risa y no tuvo más remedio que dejarse caer contra su brazo. La mano de Archibaldo, entonces, dejó el marco de la ventana para rodear su talle suavemente con ese brazo, y con la otra mano, mientras ella le acariciaba la barba, él buscó su nuca caliente bajo la melena. Blanca se prendió de su boca. Lo besó tan prolongada y dulcemente, allí donde estaban, entregada tan sin urgencia a esa caricia elemental, que era como leer sólo el título de un libro del cual se podía inferir algo de su contenido. Tenían toda la vida, volúmenes enteros, por delante: este beso pulsaba el primer resorte del placer que los haría —como lo aseguraban todos los novelistas— vibrar al unísono.

Cuando después de un siglo terminó el dulce beso que parecía haber encendido otra luz en el estudio, Archibaldo y Blanca se enlazaron por la cintura: le iba a mostrar sus cuadros. Un enorme grupo de manolas abigarradas campeaba sobre un caballete, llenando toda una parte del estudio de algazara y flores. Varios lienzos abocetados con pinturas transparentes de trementina y rasgos fuertes y simples esperaban el regreso de las modelos a su cita con el pintor. Una tarima con un sillón, para la modelo, suponía Blanca, y un tablero de dibujo en el asiento de una silla con otra silla al frente: Archibaldo cogió un carboncillo y mágicamente, en un segundo, trasladó el rostro de Blanca al papel, apoderándose así de su ser, como temían las indias cuando alguien les hacía una fotografía. El corazón de Blanca —¿por qué no?— latía furiosamente. ¿Cómo era posible? ¿Cómo era posible todo esto, el calor de esa mano en su cintura que ella quería allí para siempre, sin prisa y sin miedo? ¿Cómo era posible sentir sin pudor el aumento de su fragancia femenina conquistando sutilmente el ámbito del pintor e impregnándolo todo? Cuando ella celebraba con especial entusiasmo alguno de sus cuadros —cosa fácil porque eran todos muy bonitos—, la atraía hacia sí y la besaba. Se había desvanecido en ella esa primera desilusión de que él no se echara de inmediato sobre ella para devorarla como un lobo: este largo prolegómeno para lo indudable era en sí una forma de placer que más tarde haría fácil formularlo en otra tesitura.

Archibaldo, de pronto, dijo que tenía hambre. ¿Quizás comer algo, primero..., para no interrumpir, bueno, la sesión, después? Sí, quizás, asintió ella. ¿Por qué, entonces, no bajaban a la tasca a comer algo ligero? Ella dijo que por ningún motivo con esa vestimenta. Que no fuera tonta, insistió él: su belleza y su juventud —¡por fin alguien tenía la sensibilidad para no incluir su título y su fortuna!— con cualquier indumentaria, y muy especialmente como ahora iba vestida, causaría una sensación dondequiera que entrara.

—¡Qué locuras me está haciendo hacer este hombre! —dijo.

Pero como tenía hambre lo acompañó.

La entrada de la marquesita de Loria, sonriente y vestida entera de blanco y sin sombrero, a la tasca "El Bilbaíno", atestada de hombres vociferantes, obreros, empleados, señoritos, cualquier cosa, no importaba, ya que todos eran iguales porque eran todos jóvenes y estaban bebiendo y comiendo y riendo y discutiendo, fue una apoteosis. Abrieron camino para la pareja hasta la atestada barra, palmoteando a Archibaldo en la espalda, preguntándole de dónde había sacado ese ángel al que todos querían rezarle, que en qué sainete iba a actuar para comprar todas las entradas del teatro, encantados con ella, que les respondía que no vendía sino que regalaba entradas, divertidos y respetuosos porque Blanca era la pareja de Archibaldo, amigo o conocido de casi todos: les ofrecieron chato tras chato, que bebieron, comiendo también algunas cosillas hasta que ella, viendo alrededor suyo tantas caras encantadas con su persona se sintió capaz de satisfacerlos a todos si sugerían cerrar el local ahora mismo y desnudarla. Archibaldo, más alto y vistoso que los demás con su

gran sombrero negro pronto comenzó a despedirse de sus amigos, que no lo dejaron pagar porque querían agasajar al ángel que el pintor se había robado del cielo. Abriéndose camino entre la
multitud agolpada en torno a ellos, Blanca em-
prendió el camino para salir, lanzándoles besos
con la punta de los dedos y aceptando uno que
otro roce más que intencionado a su delicioso trasero: cantaban algo en honor a la pareja cuando
salieron a la calle y subieron en el lento ascensor
que se demoraba un siglo. Achispado por tantos
chatos, él la agarró violentamente y la besó en la
boca, y pese a que las rejas del artefacto no cu-
brían sus intimidades, metió su mano bajo la falda
de Blanca buscando la conocida seda de sus caderas. Ella retiró la boca de la suya para excusarse:

—Hoy me tuve que poner, porque jugar *tennis*
sin...

La frustración de ambos terminó cuando él, al
cerrar tras sí la puerta de la casa, la condujo al lecho. Susurró:

—Desnúdate... —mientras él hacía otro tanto,
dejando, como ella, todas sus prendas tiradas por
la alfombra, plegando el biombo para abrir la
cama a la luz dorada y verde y transparente que
caía a través de los vidrios de la ventana, iluminando la mullida ondulación del cuerpo de Blanca
tendida ya, con los ojos ligeramente cerrados y los

párpados húmedos, que era lo que él quería regocijarse viendo.

—¡Qué guapa eres!

Blanca abrió los ojos para sonreírle desde la cama.

—Tú también.

Y era verdad: la delgada elegancia de sus músculos, su torso y sus piernas regidas por nervios que controlaban cada tendón:

—Tan fuerte y delgado... como Paavo Nurmi...

Entonces, en la cama, toda la piel de uno contra toda la piel del otro, se dieron el primer abrazo del mundo. Era todo elemental, sin estrategias, sólo la alegre espontaneidad del placer, la boca de él besando de mil maneras distintas la boca de ella, las piernas trenzadas frescas pese a la excitación, los brazos una imaginativa secuencia de nudos, las manos, los dedos buscando coxis y nucas aventurándose más allá, hasta el comienzo de las vegetaciones. Ella se quedaría, decidió, y no importaba quién dijera qué, no sólo esta noche, sino mañana, y quizás pasado, y pasado... y pasado, hasta que se agotara el deleite quién sabe cuándo, si es que era posible agotarlo. Sus pechos habían cobrado una vida completamente nueva, como dos animalitos dispuestos no a devorar sino a apacentar, o a beber las caricias que el compañero le prodigaba, toda ella abierta sin que él se adueñara

127

aún. Así lo quería ella. Porque todos estos preliminares, estas exploraciones de sus axilas que sabía tan bellas, con los labios o con su sexo mismo, todo iba formando una suerte de trenza de caricias, un *crescendo* natural, una vuelta de la trenza determinaba otra vuelta del otro lado, y así el amor crecía y se alargaba y era algo infinitamente coherente. Ninguno sentía el peso del otro encima, ni ahogo abajo, ambos activos, hambrientos, entregados: cinturas, vientres, vellos confundidos en el pubis húmedo que en uno eran el reflejo de la pequeña noche triangular del otro, hasta que después de lo que parecía horas y horas de caricias y búsquedas y encuentros ella se tendió boca arriba, y él, a quien vio inmenso y dispuesto sobre ella, la obedeció al instante cuando casi le gritó porque era lo único que faltaba:

—Ahora, amor mío, ahora...

Y Archibaldo cayó sobre ese cuerpo dulce y lozano y suave que había estado oliendo y acariciando y saboreando, penetrándola hasta esa hondura que jamás se creía capaz de contener más que cuando la penetración reiteraba su conciencia de ella, mucho más allá del botoncito pero incluyéndolo, respondiendo a su lento ritmo vertical con uno circular que lo complementaba apoyándolo y agregándole otro significado al unirse a él, ambas bocas compartiendo el mismo aliento, ambos su-

Amable lector:

Esta tarjeta que Vd. ha encontrado en **SU LIBRO, LE DA DERECHO** a recibir información completa y detallada sobre:

☐ Literatura española e Hispanoamericana

☐ Novela extranjera

☐ Ensayo y crítica

☐ Historia

☐ Política

☐ Filosofía, Psicología, Pedagogía

☐ Sociología, Antropología

☐ Derecho

☐ Economía

☐ Economía de la Empresa y Seguros

☐ Geografía

☐ Ciencias y Técnica

☐ Y también a recibir información periódica de Novedades.

ESTARAN SIEMPRE A SU DISPOSICION.

SOLICITELAS

Gracias

TARJETA
POSTAL

A
FRANQUEAR
EN
DESTINO

EDITORIAL ARIEL, S. A.

EDITORIAL SEIX BARRAL, S. A.

Apartado F. D. 260
BARCELONA

| 1 | 2 | 3 | 4 | 5 |

Nombre ....

Apellidos ....

Profesión ....

Dirección ....

Población ....Dto. Postal........................

Telf. ....Prov. ....

Nación ....

Rogamos ESCRIBAN EN LETRA DE IMPRENTA O A MAQUINA

dores el mismo sudor, las anatomías distintas
transformadas por ese instante en un sólo animal
que buscaba dos placeres distintos que fueran uno
solo, una bestia cariñosa pero frenética, ensam-
blada por el arco de los muslos de Blanca alrededor de las caderas de Archibaldo, muslos que lo
apretaban, que lo urgían y le exigían el delirio
hasta hacerlo sentir que estaba próximo a estallar
en el momento en que ella lo quisiera después de
un siglo de placer que se iba prolongando, la boca
de él en esa cabellera que no le iba a permitir que
se cortara porque él se lo pediría, su oreja sonrosada entera dentro de su boca con su lengua que la
saboreaba, su lengua, sí, hurgando, sí, allí, sí,
hasta que Blanca enloquecida murmuró:

—Ahora...

Y él asintió:

—Ahora...

Y al decirlo estalló, estremecido, repletándola,
y ella, frenética, aunó su espasmo al suyo. Luego,
un placer independiente y prolongado fue abriéndose y floreciendo en Blanca porque Archibaldo
se mantuvo fuerte dentro de ella hasta que ella sa-
boreara el último eco de ese largo placer que jamás se volvería a repetir igual a éste. Por lo menos, eso fue lo que Blanca soñó: mientras dormi-
taba, él hundido a su lado en un sueño que quizás
no duraría más que un minuto si alguna vez fue

sueño total... intentaba hacer el amor con él otra
vez pero se fundía como Paquito, moría como
don Mamerto, levantaba la ceja izquierda como
Almanza... pero no: tenía la mejilla de Archibaldo
dormida junto a su mejilla.

¿Dormido? ¿Como ella? Acariciándolo —¿sólo se hacía el dormido y se dejaba hacer?—, lo devoró con sus besos, él inerte, fingiendo dormir,
deliciosamente pasivo pese a estar de nuevo tan
fuerte que ella lo montó a horcajadas, contemplando cómo se iba pronunciando, poco a poco, la
sonrisa de sus labios entre su barba, a medida que,
poco a poco, ella se iba hundiendo sobre él. Percibió que, llegando al fondo, y paralelo al escalofrío
suyo, un escalofrío lo animaba sin que siquiera se
moviera al haber reconocido toda la profundidad
de Blanca, que quería ver otra vez ese escalofrío.
Se levantó de nuevo, dejando a Archibaldo libre,
repitiendo el maravilloso proceso de la gradual
devoración desde el principio, y de nuevo, y de
nuevo, para enloquecerlo, para despertarlo... hasta
percibir que Archibaldo apenas podía soportarla
clavada allí, rotando, pero él sin moverse, como
ella justamente quería que no se moviera aunque él
con los ojos apenas entreabiertos gozara con el espectáculo de sus pequeños pechos bamboleándose,
el baile de esas puntas que quería morder, el maravilloso pliegue de la cadera de Blanca uniéndose a

130

su cadera para transformarse en el maravilloso animal bicéfalo y bisexuado del placer compartido... ella, al acercarse al éxtasis, inclinó su cuerpo de modo que las puntas de sus pechos rozaran las puntas de los pechos de él, electrizándolo, los cuatro pezones activos y sensibles enloquecidos de sensación al acelerar ella su ritmo sobre ese hombre que fingía muerte a causa del placer que ella le proporcionaba, el cuarteto de pezones sensibilizados que por fin él ya no pudo resistir, y abrazándola, la apretó a él, y ella se apretó y lo apretó a él en un orgasmo frenético que a ambos dejó tumbados.

El despertar, esta vez, fue lento, tal vez porque el sueño fue más prolongado. Despertaron ya en medio de caricias que al parecer habían estado prodigándose en sueños... y exploraron sus lunares y se contaron las historias de sus pequeñas cicatrices, riendo de pilosidades que aparecían en sitios en que no debían estar, bautizando con nombre de islas ciertas manchas rojas de la piel resultantes de efusiones que tal vez habían causado un poquito de dolor pero un dolor que había ayudado a llegar al placer y se había sumado a él, no, no, sí, si no dolió, no seas tonta, pero mira las marcas de mis dientes aquí... cómo no te van a haber dolido... ¿si, mi amor, te dolieron, no te importa? ¿Y este lunar áspero no será cáncer, aunque quizás sea raro tener cáncer a la cintura? Y la maravilla de los cuatro pezones que agregaban fuego al fuego de abajo: fueron minuciosamente examinados, reconocidos, gustados. Hasta que Blanca dijo al ver que el crepúsculo invadía el cuarto:

—Creo que hace un poquito de frío...

Archibaldo saltó de la cama y encendió la estufa de kerosene, que colocó cerca pero no demasiado cerca de la cama. Se empezaron a contar cosas, ella de Nicaragua. ¿Por qué de Nicaragua, pensó al avanzar en su relato, que no le gustaba nada, siendo tan feliz aquí en Madrid? Las pesadas de sus hermanas envidiosas, sobre todo Charo, que la seguía muy de cerca en edad y que se le parecía aunque era bastante más morena, y las oscuras hembras de la infancia y la luna en el Caribe. Pero Archibaldo no reaccionó como esperaba que lo hiciera, lamentándose que se hubiera escapado, al oír la palabra luna. ¿Por qué lo callaba? ¿Qué secreto le escondía? Ella no se lo iba a preguntar. Si la amaba de verdad, entonces él, sin que ella se lo preguntara, tenía que explicarle la inexplicable —para todos menos para ella y seguramente para él— ausencia de Luna. ¿Y él? Tanto que contar: le parecía a ella un hombre lleno de misterio, de talento, de sabiduría. Oírlo hablar de su maestro Anglada Camarasa, que era el genio más grande que jamás había producido la pintura española y a quien le debía su profesión y su técnica. Una tarde Anglada, cuando él no era más que un chiquillo, lo mandó con un mensaje a casa de una beldad cubana un tanto madura, pero famosísima aún por sus espléndidos senos y su exuberante personalidad. Al ver entrar en su salón al joven emisario creyó que era el maestro, tratándolo de genio, de poeta del color, de dueño del arco iris, abrazándolo, tocándolo, apilando sobre él los cumplidos de tal manera que el joven Archibaldo no lograba meter palabra en el torrente de halagos para hacer que la opulenta dama comprendiera su equivocación. Era tal su frenético entusiasmo por el falso Anglada Camarasa que en un momento de sofoco llegó a decirle, sacando de su escote un bellísimo pecho y poniéndoselo en la mano al muchacho:

—Mire, tome, pa usté, lo mejó que tengo, tengo mucho gusto en regalaselo...

Y le metió su enorme teta en el bolsillo al joven Archibaldo.

—¿Cómo?

—Sí, en el bolsillo de aquí, el del pecho.

Al mirarse lanzaron al mismo tiempo una carcajada, ella ahogándose con una risa tan loca que no podía detener porque había perdido control de su cuerpo, y sintió extenderse bajo su trasero desnudo un charco caliente que parecía incontrolable a medida que sus carcajadas al pensar en la gran teta en el pequeño bolsillo aumentaban. Se puso colorada pese a la risa. Y se abrazó a él para no sentir la humedad vergonzosa, para que él no viera su rubor. Él, agotado con la risa de ambos, palpó la humedad con su mano.

—No —dijo Blanca—. Cochino...

—¿Por qué cochino...?

—No sé, son cochinadas, cosas que hacen los pobres...

Y él, abandonando los brazos de Blanca puso su rostro barbudo contra la mancha caliente causada por su descontrol, y la besó tierna, ligeramente. Ella lo arrastró sobre sí. Los juegos del amor recomenzaron hasta que se oscureció la gran ventana y ambos se adormecieron con la luz de las farolas de la calle iluminando las copas de los árboles, y con la luz de la estufa de kerosene llenando de secreteo la habitación, y ella encendió un perfumado "Miss Blanche". Más tarde Archibaldo le pidió que posara desnuda para él: ella lo hizo gustosa, rogándole, eso sí, que no dibujara su rostro para que nadie la pudiera identificar. Pero sintió tal orgullo, tal placer de verse en esos lindos bocetos para los que posaba y volvía a posar sin ningún cansancio, que durante una de esas poses que se prolongó bastante, con un brazo detrás de la nuca y una rodilla flexionada —como *La fuente* de Ingres, dijo él, que era muy culto—, no pudo refrenar un orgasmo, solitario pero causado por la mirada con que Archibaldo examinaba sus partes pudendas, orgasmo en que no quiso hacer participar a su amado: prefirió guardarlo secreto.

¿Por qué no, si él no compartía con ella el secreto de la razón de la ausencia del perro?

Luego, sobre todo porque sentía un poco de frío, volvió a vestir su tenida de *tennis*, y con la raqueta en la mano y ese brazo en alto exhibiendo la notable belleza de su axila, mientras Archibaldo le contaba cosas de Anglada Camarasa, de Moreno Carbonero, de Pons Arnau y de otros pintores cuyos nombres nada significaban para ella pero que le gustaba oír, dejaba que el pintor dibujara innumerables bocetos para su retrato... pero ninguno le gustó de veras a Blanca. Estaba debatiendo consigo misma si debía decírselo o no cuando sonó la campanilla.

—¿Quién será? —preguntó Blanca sobresaltada.

—No importa. Soy un profesional. ¿No ves? Estoy pintando el retrato de la Marquesa de Loria en tenida deportiva, que será exhibido con gran éxito.

Era Tere Castillo, sin la francesa. Se extrañó más que lo que dijo encontrarse con Blanca en pose de *tennis* sobre la tarima de la modelo. Sus

135

ojos escrutadores buscaban huellas que, por fortuna, ella y Archibaldo habían borrado de la cama y lugares de limpieza. Abrazó y besuqueó a Blanca, como era su aparatosa costumbre cada vez que la encontraba.

—¡Amor, no tenía idea...! Tú con tus secretitos. Cuidado, que puede ser peligroso. —Se acercó para admirar los bocetos de la tenista—. ¡Pero esto es una monada, vamos! ¡Qué original, qué moderno, un retrato importante en tenida de tenista! ¡Una auténtica monada, vamos! ¿Por qué no me hace uno igual a mí, Archie, aunque yo no sé jugar al *tennis*, ni me parezca en nada, claro, a Lily Álvarez? Claro que con mi tipo sería la auténtica Estatua de la Libertad, así, con el brazo en alto. ¡Qué pitorreo! ¿Ya comenzó el retrato de Paquito que le encargó don Mamerto? ¿Dónde están las alas?

—Justamente, la marquesa pasó por aquí para ver si me las habían traído y discutir el retrato, y yo decidí hacerle su retrato en tenida deportiva.

—¿A ver? ¿Éstos son los bocetos? No han adelantado mucho...

¿Y si reconociera su cuerpo desnudo?, pensó Blanca aterrada. Imposible. Su cuerpo era el de una muchacha joven cualquiera, cualquier modelo rellenita y tierna... no. ¿Pero a qué había venido Tere? ¿A fisgonear...? ¿Qué derecho tenía sobre el tiempo y el trabajo de Archibaldo? ¿Tenía un lío con él? Tan artificial en ella ese *usted...* ¿Tenía líos con todas las mujeres, señoras conocidas que le posaban, y era por eso, y por ser tan guapo y encantador, que su nombre comenzaba a ponerse de moda entre mujeres como Tere Castillo? ¿Cómo sabía Tere lo de las alas de Paquito, si el retrato fue encargado el día anterior? A ella, Archibaldo ni le había mencionado el retrato de Paquito. ¡Tantas cosas en esta habitación que ella desconocía, que Archibaldo le ocultaba —era difícil perdonarle, pensó con rabia, que pese a haber pasado con él todo el día, tozudamente se negaba a mencionar la desaparición de Luna—, y que ella se negaba a desenredar! Muy bien. Si Tere tenía un lío con Archibaldo, ella tenía un lío con Almanza. Había decidido no acudir a su cita con él mañana en la noche, pero toda decisión se puede revocar. ¡Archie, qué monería, vamos! ¡No faltaba más! Si el contacto con su divina carne lo mataba, muy bien: que pagara las consecuencias. Miró su Patek Philippe. ¡Uy!, exclamó tomando su Dunlop. Era muy tarde. Tenía que partir inmediatamente. Ya avisaría cuándo podía venir de nuevo...

—¿Cómo..., se va usted? —exclamó Archibaldo.

—Sí, prefiero dar por terminada la sesión, estoy

cansada —repuso, pensando en Luna, en sus quietos ojos líquidos esperándola en su dormitorio. Él, por lo menos, era constante: lo cómodo con Almanza sería que mañana ni se trataría de serlo. Pero tampoco iba a dejar a Tere aquí. Le dijo que, como era su día libre, Mario no estaría esperándola y en esa facha, a esta hora era preferible no exhibirse así por las calles. ¿Podía ella acercarla a su casa...?

Las despedidas fueron breves, por no decir cortantes, lo que hizo alzar una sospechosa ceja a Tere. Subieron en el *coupé* que ella misma conducía —todavía recuerdan con afectuosa nostalgia ciertos anales madrileños que Tere Castillo fue una de las primeras mujeres de la sociedad que condujo su propio coche como si fuera un hombre— y se dirigieron al palacete de Loria, que al fin y al cabo quedaba sólo a pocas manzanas, al otro lado de la Castellana.

Blanca no escuchaba lo que Tere le iba diciendo. No quería oír. Que dijera lo que dijera contra Archibaldo, aunque cada acusación iba precedida de un "pero claro que es una monada de chico...". ¿Y para qué le estaba hablando tan bien de su primo Almanza? No quería saber nada de nadie. La semana próxima, después de dejar arreglados sus asuntos con los Mamertos, comenzaría a organizar un viaje a Nicaragua donde desaparecería por largo tiempo. A las antipáticas de sus hermanas no les llevaría de regalo más que sus vestidos usados. Si ese pintorcito quería jugar al don Juan, que se buscara otra. Tere iba dando una lista de mujeres archifrívolas, como ella, que consideraban que el pintor era un auténtico sol. Mañana mismo iría "Chez Alphonse", y se cortaría el pelo *à la garçonne*: moría por oír los comentarios de la monada de chico sobre esta innovación. Y se bajó en la puerta de su casa sin siquiera despedirse de Tere.

Le abrieron la puerta visiblemente preocupados. Al verla entrar, Hortensia, llorosa, corrió escaleras abajo. ¡Qué se había hecho todo el día vestida con ese traje que era para el *sport*! ¡Por suerte andaba con la señorita Tere, que era una santa! Blanca subía la escalera de su casa con la lenta indiferencia de quien sube la escalera de Palacio arrastrando una cola. Podía siquiera haber dejado las llaves de su dormitorio para arreglarlo, la recriminaba Hortensia... en fin, lo haría ahora en un santiamén...

—Nada de eso —la detuvo la señora marquesa con una mano en el pomo de la cerradura—. No voy a cenar nada esta noche. Tú, ándate a dormir. O más bien, tienes la noche libre..., sal, sal con Mario. Yo te llamaré mañana por la mañana para pedirte el desayuno. Buenas noches.

Y cerró la puerta en las narices de su doncella.

Las dos lunas la miraban desde la oscuridad, desde su nido de raso al pie de la cama. Eran dos nítidas redomas gris-oro, gris-crepúsculo, a esa hora que, en el Retiro, no se sabe si las personas son árboles secos, o figuraciones de la fantasía. Tenían algo de sacramentales esas dos redondelas fijas que le devolvieron la serenidad que hacía media hora creía haber perdido para siempre. Hubiera querido permanecer por el resto de sus días en esa oscuridad, observada por esas dos lunas distintas que constituían una sola mirada. Pero para poder avanzar debía encender.

Cuando lo hizo lanzó un grito. Todo estaba destrozado, la ropa de cama hecha jirones, las butacas destripadas, las mesas con espejos y cristales derrumbadas, su bata de brocato hecha tirillas, sus chinelas mordisqueadas, chupadas, desfiguradas, era una inmundicia, un mundo cochambroso que nada tenía que ver con ella... este olor de orina y excrementos. El plato en que le había servido carne, éste sí, lo vio limpio junto a la cama. Lentamente, sin dejar de mirarla como si quisiera someter a la pobre Blanca a su hipnosis, Luna, gris entero, todo de franela, todo tendón y músculo y movimiento preciso, bajó de la cama, y sin dejar de mirarla ni un segundo se acercó al plato vacío. Con las lunas transparentes de sus ojos quietos sobre Blanca comenzó a lamer el plato ya limpio, vorazmente, y ella, vencida, dejó caer la raqueta de *tennis* sobre la alfombra arruinada. No bajaría a buscarle comida. ¿Por qué, si se había portado tan mal? Ella tenía derecho a enfadarse y tomar represalias. Aunque el perro muriera de hambre y ella también.

Cerró con llave la puerta desde dentro. Vio que los poderosos, como ella por ejemplo, tienen, finalmente, que rendir cuentas. ¿Pero rendir cuentas de esto? Tenía que explicárselo a sí misma para después explicárselo al servicio..., aunque era muy raro que Hortensia, que se metía en todo, no hubiera comentado haber oído ruidos en su habitación. Aunque era más que eso. ¿Qué se había propuesto encerrar, encerrando a un perro loco en su cuarto, solo durante todo un día? ¿Qué le hubiera costado dejarlo a cargo de su jardinero, por ejemplo, en su jardín? ¿Quién le impedía ser dueña de un gran cachorro gris de la raza Weimaraner —según le había explicado Archibaldo la primera vez que pasearon juntos por el Retiro—, un perro elegante, caro, joven, simpático? Esas lunas vacías la miraban mientras la gran lengua, cuyas papilas sus satinados brazos tan bien conocían, lamía el plato vacío..., las mestizas de su niñez en las noches de miedo le señalaban las dos lunas idénticas en el horizonte para calmarla. ¿Pero por qué había producido esta hecatombe doméstica, Luna, su Luna, su perro querido a quien, ahora se daba cuenta, había echado de menos durante todo el día, sobre todo a sus ojos suspendidos en el horizonte mismo de su imaginación? Sí, tienes hambre, perro más inteligente que los hombres, y más sensible. Me quieres convencer que baje a buscarte carne. Pero antes tienes que justificar tu destrozo, tu suciedad, tu odio, tu violencia. Era necesario darle a entender que ahora no tenía carne que darle. Se acercó al perro que lamía el plato y antes de acariciarlo abrió sus manos con un gesto de impotencia. Alzó los hombros explicando que carecía de alimento: no tenía carne.

El perro entonces, gruñendo muy bajo, se abalanzó sobre ella, y tumbándola en los harapos inmundos en que había convertido su cama comenzó a quitarle a mordiscos su tenida de *tennis* que tanta admiración le cosechó durante el día, a rasgársela baboseándosela. La mantenía clavada de espaldas sobre la cama con el peso de sus poderosas patas, en un vértigo de terror que le impedía recuperar el aliento para defenderse: sólo dejarse desnudar por aquellos colmillos sanguinarios, y quemar por ese belfo ardiente, y ahogar por ese hocico hediondo que resoplaba. No podía gritar. Yacía casi inconsciente bajo la bestia que le fue arrancando no sólo el vestido blanco y el jersey, sino la blusa, la falda, las bragas, el corpiño, hasta dejarla desnuda y gimiendo. Durante un segundo creyó —no temió porque veía esas dos gotas de luna transparente mirándola— que el perro iba a violarla: hubiera sido por lo menos una forma de tranquilidad, comprender un motivo, tener acceso a una explicación, compartir un instinto..., pero no era eso. ¿Qué era...? Y al darse cuenta que jamás lo sabría, como quien se asoma a un precipicio que no tiene fondo, sintió que le sacudía un feroz escalofrío que culminó en un orgasmo de pavor bajo ese cuerpo al que no podía satisfacer con su sexo capaz de saciar, hasta de matar, a cualquiera.

Entonces, cuando Luna comprendió que Blanca se lo había dado todo, pareció aplacarse. Los que son verdaderamente dueños de una situación no tienen para qué ser crueles ni despóticos: bastaba tener esos ojos pálidos, quietos. Y mientras Blanca caía vertiginosamente dentro de su pesadilla, Luna fue apilando los harapos de la tenida blanca de *tennis* perteneciente a la marquesita de Loria, haciendo una especie de nido con ellos en el suelo, sobre el cual se enrolló para dormir.

Blanca se estaba terminando de quedar dormida: Luna, con sus ojos gris-limón tan incomprensiblemente carentes de intensidad, tan vacíos, reluciendo de otra manera que el cristal y que la araña de lágrimas y la plata de los objetos y los

bronces de los muebles del dormitorio nupcial re-
constituido después de la muerte de Paquito como
para otra boda, se quedó mirándola fijo toda la
noche, con la intención de incluirla para siempre
en la órbita de sus pálidos satélites gemelos.

CAPÍTULO SIETE

LO PRIMERO que Blanca vio al despertar, con las manos desapacibles cubriéndole la cara, fue que tenía sus preciosas uñas hechas un desastre: ásperas, el barniz resquebrajado, la cutícula irregular y con padastros, lo cual significaba que tenía que llamar a Hortensia para que le hiciera la manicura si esa tarde se proponía presentarse en la casa de Almanza hecha —como quería hacerlo— un sueño. Pero no iba a llamar a Hortensia. Ni a nadie. Iba a quedarse sola, prisionera de su propia voluntad en ese cuarto devastado por ese perro que sabía más sobre ella que ella misma, hasta que fuera la hora de salir para que Almanza intentara cumplir su promesa y con eso levantar el maleficio.

Que su bello cuarto estuviera tan, o más, devastado que sus pobres uñas, la tenía, en cierta medida, sin cuidado: aquí no había pasado nada si ella no se dejaba asediar por el terror. Esta casa, al fin y al cabo, era su casa. Tenía derecho a decidir qué cosas que sucedían en ella sucedían de verdad, y cuáles, callándolas, no sucedían en absoluto.

Desde su punto de vista —cubierta por la sábana para no ver nada porque no quería verlo—, era sólo cuestión de hacer venir a los tapiceros y ebanistas, pedirles un presupuesto y extenderles un cheque una vez terminado el trabajo, habiendo despachado previamente al perro a una de sus fincas más remotas, en Extremadura, por ejemplo, donde ella jamás había estado. Que nadie de su servicio siquiera osara levantar una ceja de sorpresa al ver la destrucción: ese hecho significaría su despido inmediato. No estaba dispuesta a tolerar censura. Ni menos preguntas. Ni de Casilda, además. Ya se encargaría ella de Casilda, que al sentir su inaccesible actitud fuerte y renovada no se atrevería a entrometerse. Por el momento era necesario no trascender por ningún motivo el grave problema de sus uñas para así no pensar en el dormitorio fétido a jaula de zoológico, ni en los sórdidos problemas de Archibaldo: sólo mantener suspendidas en su imaginación la quietud de dos pálidos astros mirándola.

Pero Luna no estaba mirándola. Inquieto pero no violento, Luna rasguñaba de vez en cuando la madera de la ventana que se abría sobre el jardín. ¡Que rasguñara! ¿Qué importaba, en ese caos, unas marcas en la madera, cuando todo el revestimiento de seda de la pared ya estaba hecho jirones por sus garras? Además, ella tenía poder para controlar absolutamente todo: Hortensia no subiría a llamarla hasta que ella la llamara, en eso quedaron anoche. Nadie tenía licencia para subir a este piso. Ella misma, mediante sus órdenes, era su propia protectora. ¿Pero qué quería ahora ese perro que rasguñaba tan empecinadamente la ventana, con tanta intención, con tanto cálculo? Ya era tarde, quizás después de la hora del almuerzo, incluso después de la merienda: miró su Patek Philippe bajo la sábana traslúcida que cubría su cabeza. Como no le había dado cuerda marcaba las cuatro de la mañana. ¿O las cuatro de la tarde? Era posible que le hubiera dado cuerda en algún momento inconsciente cuando se hallaba hipnotizada por los ojos de Luna. Estos relojes tan caros, con el tic-tac tan aristocráticamente tenue, uno jamás sabe si se han parado o no. Al cabo de un instante se dio cuenta de que Luna con sus rasguños había logrado abrir la ventana, de modo que la luz entró a raudales en la habitación, y el perro, apoyado en sus patas traseras, miraba el jardín como si esperara a alguien o quisiera salir. ¿El jardinero, o el portero, en fin, los criados, verían su rostro desde afuera, se proyectaría en la luz solar la plenitud de esos ojos lunares? ¿Y si lo vieran... qué? Podían verlo pero jamás pedirle una explicación ni preguntar. A no ser que ella eligiera mentirles diciendo que acababa de comprar este bello cachorro de Weimaraner para que se sumara a los habitantes de la casa. Pero ésa sería una concesión que no estaba dispuesta a hacer. ¿Qué podía explicar, si aún le dolían los hombros donde el perro posó sus patazas para inmovilizarla sobre la cama? No la violó porque no se trataba de eso.

Blanca saltó de su cama. Corrió hasta el lavabo y se encerró allí sin mirar ni a Luna ni la inmundicia de su dormitorio. En el limpio y fresco cuarto de aseo, y en el cuarto de vestir adyacente, era posible pensar en un mundo en que los indescifrables ojos del perro aún no existían. Y Blanca Loria pasó dos, tres horas encerrada allí, haciéndose cuidadosa, obsesivamente las uñas, hundiéndose, por fin en un prolongado baño de sales Clark. Luego se dio fricciones con leche perfumada de flores. Y terminó eligiendo y vistiendo el más *chic* harapo —*chiffon,* se decía— de muselina floreada cuya falda tenía un vaivén de zíngara. Cuando estuvo lista, salió: Luna, sobrecogido por su belleza, se calló al verla salir, sólo se sentó para admirarla. Era tarde. El Patek Philippe no se había detenido. La ventana abierta estaba oscura. Sí: la hora en que las falenas salen a volar.

Le dijo a Hortensia y al portero que llegaría muy tarde esa noche, de modo que nadie debía esperarla en pie. Pero, les advirtió, que nadie osara subir a su dormitorio durante su ausencia. La doncella —era evidente que no había dormido, o por inquietud o porque aprovechó la noche con Mario— decía sí señora marquesa, no señora marquesa, sí señora marquesa, sin atreverse a preguntar por qué no debía subir y qué eran esos extraños ruidos que necesariamente tenía que haber escuchado. Era como debía ser. Blanca dijo al mecánico que la llevara a casa del conde de Almanza. Ese brevísimo paseo por Madrid, hasta la calle Ruiz de Alarcón, le sirvió para olvidarlo todo, para borrar, como quien dijera, la pizarra y quedar como nueva al decidir que esta noche dormiría en el Ritz. Mañana llamaría a los Mamertos para que vendieran el palacete para así ella jamás volver a verlo, y tampoco su ropa: compraría todo nuevo. Ni a su servicio, al que de este modo no sería necesario explicar nada.

Almanza la esperaba esta vez con una camisa de cosaco de raso color verde botella. En cuanto Blanca entró comenzó a besarla con los mismos anhelantes rictus de pasión que la primera vez, que ahora ella no encontró en absoluto ridículos. Al contrario, Almanza parecía poseer algo que le faltaba a Archibaldo: como el conde no sentía ningún placer verdadero ni en el beso ni en la caricia, el amor que le manifestaba era una representación dedicada exclusivamente a ella, ya que a él no lo tocaba más que como ejecutante, dejando así todo el espectro del placer libre para que ella lo consumiera.

Esta vez Almanza tenía el ritual champán helado, que destapó con las mismas muestras de técnica depurada que manifestaba y, de alguna manera un poco fastidiosa que ella aún no podía detectar, subrayaba en todo lo que hacía bien. Almanza quitó la guitarra del diván para sentarse con Blanca entre los cojines y observar cómo sus labios escarlata de púrpura maldita sorbían el champán del fino *baccarat* mientras charlaban un poco. ¡Sí, qué gran poeta, Darío! Él, en cambio, comentó, había nacido en Huelva, donde sus antepasados fueron caciques de toda la vida: no intentaba, por cierto, competir con el divino Rubén de su tierra nicaragüense, pero en la Andalucía atlántica —y tomó la guitarra— la poesía popular de los fandangos no era, a veces, menos excitante ni menos sentida que la de su compatriota. Blanca le rogó que tocara algo, que cantara. Él se excusó mientras pulsaba unas notas porque dijo tener poca voz. Sin embargo entonó, no sin gracia:

> *Una mariposa volaba*
> *a la luz de una farola.*
> *El que no sepa querer*
> *que no se arrime a la llama*
> *y se ahorre el padecer...*

Blanca palmoteó, muy impresionada. Tomó toda su copa de champán y pidió más y más mientras lo dejaba besarle los brazos y el escote. Luego —en realidad para quitárselo de encima— le rogó que cantara otro fandango. Él asintió. ¿Quería oír uno verde? ¿Verde...? Sí, verde... pero muy, muy verde... ¿Por qué no? Y para complacerla el conde entonó:

En la fuente del madroño
le di agua a mi morena
y camino de Guillena
le di un mamazo en el...

—¡Ay! —gritó ella con fingido espanto—. ¡Me da algo...!

Y El conde de Almanza, caballeroso, concluyó:

...que no hay cosa más buena...

—¡Qué ilusión, Almanza, además de guapo y gran señor, gran artista! —exclamó Blanca, feliz.

—¿Y gran...?

—¿Amante...?

—¡Dilo..., dilo, mi amor..., que me enardece oírlo de tus labios!

No le permitió decirlo porque comenzó a besarla. Ella, entretanto, clavó una uñita recién manicurada en la camisa de cosaco, en la tetilla, pero Almanza no reaccionó con el estremecimiento con que hubiera reaccionado Archibaldo. Bebió más champán y entonces —¿por qué no?— concedió:

—Sí: gran amante...

Almanza, modesto, repuso:

—También tradición popular de mi tierra...

Besándola de nuevo declaró que iba a proporcionarle todas las emociones imaginables si ella era capaz de resistirlas, de no ruborizarse, de ser una mujer verdaderamente civilizada y no extrañarse ni escandalizarse de nada. Ella declaró estar dispuesta a todo. Entre caricias que llegaron a fatigar un poco a Blanca terminaron la botella de champán. Entonces, poniéndose en pie, Almanza dijo que él iba a entrar en su dormitorio. Después de diez minutos, que entrara ella, desnuda.

—¡Qué apuro! —exclamó Blanca.

—Estará sin luz.

—Vale.

—Encontrarás todo lo que tu corazón puede desear.

Cuando entró en el dormitorio oscuro de Almanza creyó —esperó— por un momento, encontrar los ojos luminosos de Luna guiándola hacia lo anhelado. Pero no. La voz de Almanza llamándola suavemente fue su único norte. Ella se acercó hacia donde sabía que estaba la cama. Las manos del conde la tocaron, la hicieron tenderse junto a su musculoso cuerpo, también desnudo, y la envolvió en sus brazos. Pero esta vez, pese al clásico champán, el cuerpo de Blanca no respondió: permanecía totalmente helada —aunque por la más elemental cortesía pretendiera otra cosa—, sin interés, sin siquiera pensar en Archibaldo, o pensando, más bien, que le sucedería exactamente lo mismo si fuera él, no Almanza, quien estaba acariciándola. Era como si algo en ella se hubiera agotado para siempre, o estuviera en otra parte, tal vez en un frío astro remoto. Almanza, que tenía demasiada experiencia para no darse cuenta que Blanca no respondía, murmuraba dulces procacidades en su oído, retazos de fandangos absolutamente irrepetibles. Pero era como si estuviera diciéndolo todo muy lejos, ante un auditorio que no la incluía. Harta, por fin, antes de consentir que Almanza se hundiera en ella, Blanca le preguntó:

—¿Es ésta la excitación prometida?

—No —repuso Almanza—. Ésta...

Y dándose vuelta en la cama, la colocó a ella en el sitio que él ocupaba, y él ocupó el sitio de Blanca. Ella, al instante, percibió que había otra persona desnuda, muy quieta, a su lado en el lecho. Entonces, como si hubieran encendido un interruptor en ella, todo su cuerpo volvió a inflamarse, a sentir. ¿Ésta, entonces, era la sorpresa...?

Bueno..., claro que dependía de quién era la otra persona.

La otra persona no tardó en darse a conocer: en el primer instante le pareció sólo un cuerpo más suave y como con demasiada carne, abrazándola y besándola con extraño calor. ¡Una mujer! Espantada durante el primer medio segundo, sintió en seguida que ese espanto mismo le servía de acicate, de modo que nada le costó responder a las caricias de esos dedos tan suaves y además tan sabios, mucho más sabios que los de cualquier hombre, y a los juegos con sus pezones irritados de sensación, mientras por su espalda Almanza le proporcionaba aquello que por su naturaleza la mujer no podía. Nadie hablaba. Pero iban adquiriendo un ritmo, los tres, estímulo y respuesta y respuesta a ese otro estímulo que era una respuesta que exigía otra respuesta que era otro estímulo..., la desconocida recorriendo su cuerpo entero con su lengua hasta llegar a su vértice donde ejecutó con la más impecable maestría aquello prometido por el fandango de Almanza, hasta hacerla sentir: ella exageró, porque al fin y al cabo era una chica bien educada, hija de diplomáticos, que no quería herir los sentimientos de nadie. Pero sólo sentir. No gozar, se dijo un poco aburrida, porque estas cosas entre mujeres no alcanzaban para ella la categoría de amor —¿sucedía lo mismo entre dos hombres?—, ni siquiera era, para ella, lo que algunas personas con léxico pedantemente científico llamaban "una relación sexual". Faltaba una tensión, algo, algo por lo menos en el caso suyo ya que prefería no generalizar: era como la repetición pálida de los juegos perversos de la niñez, entre primas a quienes hacían pasar la noche en el mismo dormitorio porque faltaban camas para los recién llegados al caserón de la hacienda ya repleta de invitados y familia, juegos que se expiaban con el levísimo castigo de dos días sin postre de coco cuando las sorprendían. Lo otro era lo serio, lo verdadero. De pronto Almanza encendió la luz del velador:

—Mira... —murmuró.

Antes que alcanzara a decirlo, con el primer medio segundo de luz, antes que ella alcanzara a poner una posesiva mano sobre sus pechos, Blanca reconoció la sonrisa malévola de Tere Castillo. Inmediatamente, pasando por encima de Almanza que quiso retenerla a la fuerza, Blanca saltó de la cama ante la desesperación de Tere que la llamaba con los más dulces acentos de que vozarrón era capaz, unidos a los ruegos de Almanza, que para provocarla con la escena mordía los pezones de Tere.

—Ven —la llamaba ella—. No seas tonta, mi amor, no le diremos nada a Casilda y nos divertiremos los tres.

Blanca, que había decidido partir al instante, revocó esa decisión porque se dio cuenta que en este ambiente podía aprender muchas cosas, aunque no fueran precisamente las que Almanza y Tere se proponían enseñarle. Ésta continuaba rogándola entre los suspiros de placer causados por las caricias de su primo el conde:

—No vayas donde Archibaldo, preciosa, que no sabe hacer el amor como nosotros..., él cree en el amor para casarse y tener hijos, es un paleto, un tonto..., pésimo pintor, se ha hecho su fama pintando a las señoras ricachonas más flacas que lo que son y sus perlas más gordas, que es lo que les gusta..., tú, mi amor, no..., mereces algo mejor..., ven..., no te vayas...

—Tengo un poco de frío y se está haciendo tarde... y Casilda se puede enfadar si llega a saber..., me da miedo...

Almanza rió:

—¿Casilda? Pero por favor, si Casilda es tan fría que uno se constipa cuando se sienta cerca de ella...

A lo que Tere agregó:

—Mira, preciosa, para que sepas: Casilda y...

—Cállate, bruta —la detuvo su primo Almanza—. Vas a estropearlo todo...

Tere, casi histérica, echando a un lado Almanza

se había sentado en la cama y le dijo a éste:

—Déjame decirle todo de una vez para que se vaya enterando. ¿No ves que está enamorada de Archibaldo y lo perderemos todo con esa manía que tiene con lo de tener hijos...?

Blanca permitía que Tere le acariciara los muslos diciéndole que eran suaves como la seda, comentario que ella ya había escuchado en ocasiones más interesantes, mientras Almanza corría a buscar más champán para que les sirviera de refuerzo. Pero Blanca, sorprendida, descubrió que lo que acababa de inferir sobre la conducta de Archibaldo, y que era en esencia lo que le interesaba saber, no la conmovía en lo más mínimo, ni para bien ni para mal, y que todo lo que estos personajes pudieran proporcionarle —fuera de divertirla— simplemente no existía. Almanza llenó las copas. Los tres bebieron. Con otra copa ya media y entre caricias a las que Blanca se incorporaba sólo muy pasivamente mientras concertaba consigo mismo una despedida que no molestara a nadie, Tere le dijo, tomando de entre la montaña de su compleja indumentaria un gran corsé de ballenas:

—Ayúdame a ponérselo.

—¿A quién?

—A Almanza.

La idea de ver al conde de Almanza desnudo y con el corsé de Tere la hizo estallar en una carca-

jada. Atragantándose con el champán, que le salió
por la nariz mientras tosía, Almanza y Tere le gol-
pearon la espalda para devolverle la respiración.
La fuerza del gentilhombre renació con la proposición de Tere:

—¡Qué ilusión verte con corsé! —palmoteó
Blanca.

Las dos mujeres desnudas mantuvieron el artefacto abierto. Almanza se metió dentro. Se lo subieron hasta el talle de modo que sobresalían sólo
sus pectorales peludos y su trasero y sus partes pudendas igualmente peludas, que se fueron hin-
chando a medida que las dos mujeres tiraban los
cordones para ajustar el corsé.

—Tiene el talle de avispa de una marquesa —rió
Tere.

—Marquesa con mostachos —agregó Blanca,
tirando de los cordones de modo que lo que el
conde perdía en grosor en la mitad de su anatomía, lo iba ganado arriba, y sobre todo, abajo. Él
tomó a sus dos amigas por la cintura, y mientras
se pavoneaba iba recitando:

Sobre la terraza, junto a los ramajes,
diríase un trémolo de liras eolias
cuando acariciaban los sedosos trajes,
sobre el tallo erguidas, las blancas magnolias.

La marquesa Eulalia, risas y desvíos
daba a un tiempo mismo para dos rivales:
el vizconde rubio de los desafíos
y el abate joven de los madrigales...

La bigotuda y entallada marquesa Eulalia, mientras la orquesta del gramófono perlaba sus mágicas notas, reía y reía y reía, besando, primero, al vizconde rubio de los desafíos —que era Tere, ocupada en acariciar su erguida magnolia—, y luego al abate joven de los madrigales, que era Blanca y también reía aunque aburrida con los sollozos de los *violoncellos* y pese a que se asomaba a sus húmedas pupilas de estrella el alma del rubio cristal de Champaña. Bastaba. No quería jugar más, como cuando era chica: ¡yo ya no juego! ¿Qué se creía Almanza? Iba a partir. Eulalia y el vizconde rubio, con los *staccati* de bailarinas y las fugas locas de colegialas, la siguieron. Blanca les dijo, terca:

—Tengo algo muy urgente que hacer.

Almanza pareció tan cariacontecido con esta noticia que hasta los arriscados mostachos se le bajaron. Tere, en cambio, que estaba intentando morder los pezones de Blanca para retenerla, se irguió furiosa, gritándole:

—Claro, a visitar a ese chulo improvisado, el tal Archie...

—Por lo menos es un chulo joven, que no necesita corsé para hacer lo que hace.

Ya está, pensó Blanca. Ya está dicho todo. Basta. Almanza tosió, acariciando la espalda desnuda de la marquesita detenida en el umbral entre el dormitorio y el salón. Se defendió:

—Francamente, mi querida Blanca, no creo que puedas quejarte de mi *performance*...

—Claro que no. Sólo me quejo de que sea *performance*. De modo que... no, no llores, Tere..., no llores, Almanza, sois encantadores y os quiero mucho, pero...

Le imploraban que no se fuera, que se quedara, que ellos se encargarían de proporcionarle todos los placeres y emociones, que huirían los tres a Tánger, al Bósforo, a las luces de New York o simplemente a París, pero era desgarrador darse cuenta que pasaban los años y el marqués y después Paquito y ahora ella se quedaban sentados sobre una fortuna que nadie aprovechaba y que podía terminar en manos de un truhán como el tal Archie. Imploraban mientras Blanca, altanera, vestía su precioso *chiffon*. Cerró la puerta de calle compadeciéndolos, pero, sobre todo, mortalmente aburrida.

Al abrir, en cambio, la puerta de su dormitorio oscuro sintió que su corazón daba tal brinco de sobresalto en su pecho que casi le cortó la respiración: allá estaban los dos ojos como dos lunas nadando en ese infinito espacio oscuro y caliente y aromado. Percibió un nuevo horizonte de potentes olores primitivos, esenciales. No encendió la luz. Los ojos se fueron acercando muy despacio hacia ella en la oscuridad hasta que vio el fondo mismo de esas pupilas huecas, el otro lado de esas redomas cuya iridiscencia hacía destellar gotas de baba en su hocico, que gruñía. Alzando de repente el gruñido Luna se lanzó sobre ella tirándola al suelo encima de las astillas de las botellas de cristal, abofeteándola con sus patas ásperas, desnudándola otra vez con el hocico hirviente, mordiéndola como si fuera a devorar su carne satinada, sus pechos perfectos, sus muslos temblorosos, los colmillos hincados en sus brazos con los rugidos que hervían en su hocico. ¿Por qué Archibaldo no explicó la ausencia del perro de su casa? ¿Por qué ella no explicó la presencia del perro en la suya? ¿Por qué Luna era incapaz de explicarse, de descifrarse a sí mismo, para unirlos a los dos? Allí estaban esos ojos límpidos como dos continentes en blanco, como páginas sin escribir, como senderos jamás transitados, dos honduras gris-oro que no expresaban nada porque sólo eran, en las que la mente de Blanca podía hundirse, y disolverse o encontrar algo que desde este lado de las lunas gemelas ella no alcanzaba a ver. Cuando el perro se

163

dio cuenta de que Blanca se disolvía en el primer espasmo de esa noche, Luna la soltó. Blanca, desnuda ante lo desconocido, huyó a refugiarse en el lavabo, donde se encerró con llave. Encendió la luz. El perro rasguñaba la puerta con su pata. Rugía. Pero estaba al otro lado de la puerta, habitante de la destrucción y el caos y lo desconocido donde campeaba como rey. En su lavabo, Blanca, agotada, arregló las toallas más mullidas dentro de su bañera y después de apagar la luz se metió en ese limpio lecho y se quedó dormida.

Al día siguiente, escuchando las carreras enloquecidas de Luna en el cuarto contiguo, el terremoto del derrumbe de las cortinas, sus aullidos feroces, su pata, su empecinada garra rascando y rascando la puerta con una fuerza que podía derribarla, Blanca comenzó a vestirse. Pero al entrar desnuda y dolorida en su cuarto de vestir y contemplarse entera en los espejos se dio cuenta que no podía ir donde Archibaldo, como tenía pensado ir para que la ayudara a librarse del maleficio del cual no se libraría devolviéndole el perro. Vio su cuerpo albo manchado de magulladuras y cardenales, estriado de rasguños, los colmillos de la bestia claramente marcados, una especie de santa trágica, tremendista, tenebrista, una mártir horrorosa y sangrienta que era necesario, sobre todo, esconder: no podía ir a pedirle ayuda a Archibaldo, que era el único que podría ayudarla, porque querría desnudarla y entonces... Debía esperar. ¿Cuánto? ¿Con ese monstruo destruyendo el universo en la habitación vecina, esa fuerza esencial desatada en la forma de la pregunta única reiterada y desconocida de ese par de ojos vacíos? ¿Cuánto debía esperar para ir a aclarar las cosas con ese...? ¿Ese chulo? No. Ese... algo, pero no chulo: podía pensar en acusaciones pero serían más serias que ésa. El perro había callado. Esta vez, sin ventana hacia el exterior de su lavabo, con el Patek Philippe hecho una miseria, no tenía ni idea de qué hora del día o de la noche podía ser. En el dormitorio hacía un buen rato que el perro no gemía. ¿Por qué? ¿No era preferible que rugiera a permanecer en este silencio, que era tan terrible como la nada de sus ojos color de agua crepuscular? Blanca pegó su oído a la puerta. Al no sentir a Luna al otro lado, y después de desechar la idea de que hubiera huido o saltado al jardín, la abrió: estaba asomado a la ventana, sostenido en dos patas. Mirando hacia afuera parecía totalmente concentrado en algo. Al poco rato Hortensia llamó a su puerta.

—Señora marquesa..., señora marquesa..., que hay un señor un poco raro abajo..., dice llamarse Archibaldo Arenas. Insiste en que tiene urgencia por hablar con la señora marquesa.

¿De modo que había venido? ¿A qué? ¿A pedirle la mano en matrimonio para tener muchos hijos? ¿A justificar sus amoríos con una lista que la heterodoxa Tere Castillo podía encabezar? ¿A quitarle el perro? ¿Ni siquiera eso era capaz de regalarle, el maldito, era tan incapaz de dar nada...? ¿Quería arrebatarle la fiebre de los pálidos ojos inalterables, con los que fascinaba y luego traicionaba al presentar unos simples, aunque bellos y vivaces ojos negros? ¿Era algo más que un prestidigitador que prometía la felicidad para luego no cumplir? ¿Y ahora pretendía quitarle a Luna, por el cual ni siquiera había preguntado el otro día? ¿Qué podía comprender él de ese perro terrible y maravilloso en cuyas pupilas ella podía hundirse como no podía hundirse en las pupilas negras del pintor ni en ningunas otras? Ah, eso no. Si quería verla a ella, que tuviera paciencia mientras se vestía. Que la esperara abajo. Ella le diría unas cuantas cosas claras. Volvió para encerrarse en el lavabo mientras el perro mantenía, en silencio arrobado, su cabezota fuera de la ventana. Ella se proponía, sobre todo, negar la existencia misma de ese perro gris a cualquiera que pretendiera que existía, acusándolos de alucinados si reclamaban por ladridos o gárgolas en su ventana.

En el lavabo se cortó el pelo con una tijera y una navaja, cruel, ásperamente, hasta quedar con cabeza de pillete. Pese a las evidentes incorrecciones del corte de pelo no podía negar que se veía lo que Tere Castillo hubiera descrito como "una auténtica monada, vamos...". Todo su cuerpo era una sola lacra dolorosa y amoratada. Eligió el vestido más cerrado, oscuro y triste. Se dio con el cisne una nube de polvos de arroz que la hicieron palidecer. Pensó, un instante, meter en su bolso la Baby Browning dorada, con empuñadura de nácar, que tantas señoras llevaban hoy como accesorio necesario. ¿O un frasquito de vitriolo para deformarle su linda cara traicionera que lo prometía todo y no daba nada y además venía a llevarse lo poco que ella tenía? Pero no: la verdad era que no lo amaba. Una de estas dos armas llevaría en su bolso si lo amara. Pero no lo amaba porque su interior era un continente vacío.

Bajó la escalera de mármol entre las ininteligibles exclamaciones de la pobre Hortensia, vigilada por las garzas del vitral. Pero su vestido cerrado, sus espesas medias negras ocultaban sus heridas, las del cuerpo y las del alma, que ni unas ni otras estaba dispuesta a enseñar, y aunque pálida, lo único que se le antojaba mostrarle al mundo, que comprendería las cosas aun menos de lo que las comprendería ella, era su estampa de viuda joven y triste, pero entera: una viudita que, en suma, nada tenía de Lehar, sino de la que aprobarían los Mamertos de este mundo, como las que sin duda existían innumerables ejemplares entre la parentela de los Sosa, en Alarcón de los Arcos.

Archibaldo la esperaba abajo, el chambergo en la mano y un pie en el primer escalón. Sintió tal aburrimiento al ver sus negros ojos implorantes a los que le faltaba lo esencial —que tal vez no fuera más que el reflejo de cierto crepúsculo, en cierto lugar, en cierto momento de la vida de ambos—, que no pudo dejar de asegurarse de que este aburrimiento era tan definitivo y desgarrador como el aburrimiento que sintió anoche en casa de su buen amigo el conde de Almanza. Se detuvo unos cuantos escalones antes de llegar abajo del todo, de modo que Archibaldo tuvo que alzar la mirada para dirigirse a ella.

—Blanca... —murmuró.

—¿Deseaba usted hablar conmigo?

—Por favor, Blanca...

—¿Será a propósito de un adelanto sobre el retrato de mi difunto marido, el marqués de Loria, que el Señor lo tenga en Su seno?

Éste ni siquiera era su sirviente a sueldo, que en ese caso de algo podría servirle, como la serie de Mamertos. Que se fuera. Ella no tenía perro alguno. No existía ningún perro. Era necesario borrar su existencia, no dar lugar a que se preguntara por él, negarse antes de ser solicitada para no dar pie para nada, porque ella, sin los pálidos ojos vacíos de Luna ya no podría vivir. Lo único que quería es que este pintor se fuera de su casa cuanto antes. ¿Por qué no haber ido al Ritz, finalmente, anoche, como había pensado hacerlo, y haberse ahorrado todo esto? No. Luna no podía quedar solo. La necesitaba a ella, tal como ella lo necesitaba a él, porque ambos eran como la reflexión de la luz reflejada en el otro. Lo que era claro es que no necesitaba a este hombre de expresión posesiva que no era capaz ni siquiera de oír los ladridos enloquecidos de Luna encerrado en su dormitorio inmundo y hecho una ruina. No estaba dispuesta a entregárselo aunque se lo exigiera.

Archibaldo la contemplaba incrédulo, incapaz de decir nada ante esta encarnación totalmente inesperada de Blanca. Sí. Sus ojos, como el primer día, eran de simple y durísimo alquitrán: descifrables, ávidos. ¿Estaba enfadado? Bueno, entonces, que se enfadara. Desafiante, Blanca bajó un escalón más, sin hablar, sosteniéndole la mirada como si algo en ella no perdiera la esperanza de que otro crepúsculo, de nuevo, los tornara, aunque no fuera más que pasajeramente, color gris-limón. Él tampoco hablaba, pero no porque se negaba a hacerlo, como Blanca, sino porque, por alguna razón absurda que ella no pensaba darse el trabajo de entender, no podía: en suma, era el esclavo de su propia pequeñez. Blanca, para demostrarle que no se trataba de que la hubiera dejado muda, dijo:

—¿Por qué viene a molestarme a mí para este asunto, y no se dirige para esas menudencias directamente a don Mamerto Sosa, cuya casa notarial se cuida y administra todos mis bienes y hace todos mis pagos?

Archibaldo esperó un segundo mirándola muy fijo. Luego se puso el sombrero y murmuró:

—Encantado de hacerlo así.

Y salió a toda carrera del palacete, como para estallar afuera y no causar destrozos en la casa de Blanca con su estallido.

Ella, maquinalmente, se dio vuelta en cuanto oyó el portazo. Con sus delicados dedos rozando el pasamanos comenzó de nuevo su ascenso. En el fondo, el pintorcito era un muchacho bastante encantador, además de bien educado fuera de lo del portazo que a ella no le gustó nada, a quien ni siquiera se le había ocurrido reclamarle al perro que le pertenecía y a pesar de que tenía que haber escuchado sus ladridos que a ella, eso sí, le estaban atronando los oídos. Pero mientras subía, y antes de llegar arriba del todo, pensó en las pretensiones del hombre que acababa de despedir:

—¡Qué pitorreo! —se dijo al abrir la puerta de su dormitorio que fue tan hermoso en un tiempo y que ahora era esta fétida ruina que la satisfacía.

CAPÍTULO
OCHO

Todavía corre por Madrid la leyenda —hasta ahora jamás desmentida y nunca formulada sino en susurros, o de la que se habla sólo de cuando en cuando y en la que nadie confiesa creer hasta que se vuelve a comentar otro caso— de que las parejas que al anochecer acuden al Retiro en sus coches para hacer el amor suelen sufrir una visión de pánico: en el momento mismo en que están a punto de llegar a la plenitud, de pronto se asoma por la ventanilla del coche la cabezota de un gran perro gris con relucientes ojos gris-oro, la lengua babosa que le cuelga acezante del hocico que ladra y ladra, las patas delanteras en la ventanilla, hasta que los amantes aterrados logran desenredarse y ponen en marcha el vehículo huyendo a toda velocidad de ese espanto que no entraba en sus dulces cálculos: la muchacha anegada en lágrimas o presa de un ataque histérico, el hombre pisando a fondo el acelerador y atento a los ladridos del perro que los persigue pero que con la rapidez del coche van

173

quedando perdidos en la bulliciosa lontananza ciudadana. Son escasas las parejas cuyo amor sobrevive a esta prueba. Nunca, nadie, ha podido encontrar a ese perro, ni la policía que bien poco se ha preocupado de hacerlo porque con las cosas como ahora están, claro, deben preocuparse de problemas más serios; ni los vigilantes del parque que alguna vez se han propuesto investigar la posible verdad que puede haber detrás de tan siniestras murmuraciones que año tras año, persistentemente, se repiten, pero que tienen, al fin y al cabo, traza de no ser más que una alucinación histérica que, hay que confesar, puede no ser fruto sólo de fantasías coincidentes.

Blanca, después que se retiró el pintor esa tarde, pudo permanecer en su habitación porque Luna se encontraba absorto ladrando hacia afuera, las patas afirmadas en la barandilla de la ventana. Se sentó al borde de su cama inmunda, en el colchón destripado, mirando el erguido lomo gris de la bestia, enflaquecida porque hacía días que no le daba nada que comer: Luna tenía hambre. Por eso ladraba. Pero no huía de su lado: se había adueñado de su habitación. El hambre era un motivo demasiado simple para explicar una conducta tan singular como la de este perro. Así, durante el transcurso de la tarde, Blanca pudo permanecer allí con los ojos clavados en la nada, atenta sólo al dolor de los mordiscos cuya inflamación le estaba haciendo escocer los muslos, la espalda, los brazos. Más tarde Hortensia golpeó su puerta. Al escuchar la respuesta de la señora marquesa, dijo muy quedo y aún más respetuosa que de costumbre:

—¿Señora marquesa?

—¿Sí, Hortensia?

—Ha venido la señora marquesa doña Casilda.

—Que me espere en el saloncito chino. Prepara una mesita para que merendemos allí, y sirve té. Yo bajaré dentro de un instante. Dile que por favor me espere.

—Sí, señora marquesa.

¿Por qué no bajar inmediatamente? Al fin y al cabo iba vestida de manera adecuada y eso, claro, era lo más importante de todo porque era lo que los demás veían. No podía negar que era aburrido estar tantas horas sentada al borde de su cama mirando el aire, escuchando los ladridos dirigidos hacia afuera, esperando el momento en que Luna volviera a dirigirse a ella para permitirle ver de nuevo el vacío de sus ojos amarillos. Sentía, sin embargo, la gran satisfacción de haber tenido la entereza de despachar a Archibaldo y el espejismo encarnado en él, quedando, como debía ser, sola con Luna y lo que él le diera. Las heridas y rasguños causados por sus patas y sus dientes le dolían mucho ahora, como si su carne lozana, que en otro tiempo tuvo pretensiones asesinas, comenzara a descomponerse y a morir. Pero no bajaría aún donde Casilda porque era importante imponerle un ritmo teatral a las cosas, rigiendo las entradas y salidas como si se tratara de una escena dirigida con acierto, como si nada fuera verdad, todo puro cálculo, todo artificio, todo representación: de este modo las cosas dolían menos, y las bestias eran sólo parte de la utilería, como el cisne en *Lohengrin*. Además, no hubiera quedado bien que al saber la llegada de su suegra ella se precipitara gritando de alegría escaleras abajo como nuera de pueblo, con el fin de abrazarla y besarla a su reciente regreso de París. Después de un rato bien medido, Blanca salió de su dormitorio, cerrando su puerta con llave y dejando adentro a Luna. Bajó al saloncito donde la esperaba la señora marquesa doña Casilda, que al verla entrar se puso de pie con los brazos abiertos, exclamando:

—¡Qué dicha estar de vuelta! ¡Vengo agotada! No por el viaje, sino por el latazo del sermón de la misa de esta mañana.

Y abrazó y besó a su nuera, que decía:

—¡Casilda! ¡Qué ilusión! Qué monada de vestido. ¿Lanvin?

—No. Callot.

—Claro, Callot, se ve en seguida...

Estuvieron hablando un buen rato de las amenas novedades de París, de lo que se usaba y de lo que ya no, de que todo el mundo menos las españolas iba a veranear ahora a Deauville y no a Biarritz, que había visto a Sacha Guitry cenando con Yvonne Printemps en la mesa al lado de la suya en "La Tour d'Argent" y ella era muchísimo más mona que en escena, sobre todo más señora, y este verano se volvía a usar el blanco con locura: todo era blanco, los muebles, las alfombras, las casas, los coches, los vestidos, para el té, para la noche y para qué decir nada para el *sport...*

—Por cierto —acotó Casilda tomando un sorbito de té sin mirar a su interlocutora, como si lo que decía no tuviera la menor importancia—. Me cuentan que te vieron de blanco con falda corta de *tennis* el otro día, creo que cerca de la Plaza de Chamberí. El blanco es el luto de las reinas de Francia, mi querida, no de las simples marquesas españolas como nosotras...

—Y dicen que también es el luto de las chinas. Yo me siento un poco china en Madrid, Casilda, sin Paquito.

Esta vez su suegra la escrutó sin disimulo:

—¿Estás segura que no tienes consuelos o pasatiempos más o menos divertidos...?

La cabeza de Casilda era soberbia metida en su sombrero adornado con el más airoso *aigrette*: belleza inconmovible, tallada en alabastro, de esas bellezas que duran siglos con los ojos cerrados tendidas en las tumbas, pero que carecen de la emotividad de la belleza fugaz que depende de la frescura y la alegría y la elasticidad y el brillo, esa conmovedora belleza que existe sólo durante un brevísimo período de gloria, como si el ser a que perteneciera entrara, se detuviera un segundo y después saliera para siempre de un foco de luz, que era el caso de la belleza de Blanca, lo que la hacía tan tierna, tan jugosa. Casilda se estaba preguntando cuánto más le duraría, porque hoy la encontraba descompuesta y pálida. No tardaría muchos años en ponerse igual a la gorda de su madre. Blanca estaba contestándole a su pregunta con los ojos fijos en los suyos:

—Pienso que tal vez Mario me podría dar lecciones de conducir. Eso me distraerá. Luego compraría un *coupé* como el de Tere para sentirme completamente independiente.

—¡Doy vuelta la espalda y Tere comienza a dominar tu vida! ¡Qué infiel me eres!

—Infiel, siempre. Desleal, jamás.

Un rubor muy ligero, durante un segundo, encendió el rostro de la marquesa madre. Tomó una tostada y continuó:

—En todo caso no importa. Tere es mi mejor amiga desde hace siglos y me lo cuenta todo.

—¿Y Almanza también te lo cuenta todo?

—También.

—Interesante. ¿Ya los has visto?

—Por cierto. No te imaginarás que voy a venir a visitarte a ti antes que a mi amante.

Blanca se sonrojó ante la respuesta brutalmente directa de Casilda. También sintió temor, porque significaba no sólo que sabía algo —lo que la tenía sin cuidado— sino que quería llegar a algo. Puso una rodajita de limón en su té y bebió un sorbo:

—¡Qué monada cómo Almanza canta los fandangos de su tierra!

—Déjate de tontadas. Hace años que Almanza no es mi amante. Me refiero a Tere.

Esta vez, en lugar de ponerse colorada porque tenía conciencia de que eso sería repetir una reacción ingenua, Blanca dejó caer al suelo la tenacilla para el azúcar. Ambas mujeres se inclinaron al mismo tiempo para recogerla. Abajo, ocultas por el largo mantel, Casilda, la estatuaria, la belleza oficial, de aquellas que aparecen acuñadas en antiguas monedas o en los billetes de alta denominación, agarró ferozmente la muñeca de Blanca hundiendo en ella sus uñas. Sin incorporarse, acariciando la frente de su nuera con su erguido *aigrette*, susurró histérica:

—Marchémonos. Marchémonos las tres. A París. Tere está loca por ti. Yo también.

Blanca se incorporó. Sus delicadas manos —Luna las había respetado, como respetó todo lo que en ella era visible— compusieron la simetría de la bandejita de tostadas y la de pastelillos con referencia al florero de empinadísimo cuello que contenía una sola rosa. Le dijo a Casilda:

—No me has comentado mi corte de pelo.

—¡Fatal!

—¿Cómo?

—À *la garçonne* es una cosa, a tijeretazos es otra. Parece que te hubieras peleado con la lavandera vecina y que te hubiera ganado la pelea.

—A mí es difícil ganarme la pelea.

Blanca sintió algo vivo, sedoso buscando su pie bajo el mantel: el pie descalzo de Casilda acariciando su tobillo con pasmosa destreza, recorriendo sus doloridas pantorrillas, metiéndose bajo su falda, buscando penetrar seductoramente entre sus muslos que ella —por el momento y si convenía— mantenía cerrados con empecinamiento mientras mordisqueaba un pastelillo.

—¿Quieres que llame para pedir más té caliente?

Casilda abandonó toda compostura. Gesticulando mientras hablaba y tomaba taza tras taza de té tibio, su *aigrette* rivalizaba con la elocuencia de sus bellas manos. ¡Que partieran las tres, que no fuera tonta, a vivir juntas en París! No, Almanza no importaba nada. Lo que a él realmente le gustaba eran las chachas de origen andaluz-atlántico como él, no las señoras: todo lo de ellos era una comedia desde hacía años. Y el tal Archie, vamos, un pintorcillo de poca monta, que no se engañara, era un ingenuo, un romántico, un cursi: si a Blanca le gustaban los artistas de verdad, en París se podía atosigar de ellos porque parecía que esa peste hubiera cundido y ya no se veía otra cosa, a veces hasta en los buenos restoranes. ¿Que cómo sabía lo que..., bueno, suponía entre ella y Archibaldo? Que no fuera tonta: todo Madrid —para que se convenciera de que esta llamada capital no era más que un poblacho igual a Alarcón de los Arcos— ya sabía de sus amores con Archibaldo Arenas, ese pésimo imitador de Anglada Camarasa, él mismo un imitador, y el pobre Archie imitaba a quien podía para robarse una idea, porque lo que era el desgraciadito, no tenía ni una. ¡Y se creía un Domergue...! ¡Hacía falta tener *culot*! Todo Madrid, por otra parte, la había visto entrar en su casa en Plaza de Chamberí —podía citar día y hora— vestida de tenista: decían que era una auténtica monada pero no podía negarle que era una locura andar por las calles así para ir a casa de su amante y pretender que nadie la notara. A ella le encantaría verla vestida así..., el dedo gordo del pie derecho de Casilda, con tal autonomía y agilidad que era como si tuviera dos falanges de más, fue tan efectivo que logró penetrar entre los sensibles muslos de Blanca y llegar a su ardiente vellón, que ella le permitió acariciar mientras el *aigrette* proseguía subrayando los comentarios frívolos de su suegra, y ella conservaba la taza de té junto a sus labios para ocultar la expresión —¿doloroso rictus o sonrisa de placer?— de su boca. Blanca, pese al dolor que le causaba ese pie al apretar las heridas de Luna, logró decir:

—Temes que me case con él.

—¿Porque nuestra fortuna se evaporaría?

—Sí: en fin, mi fortuna todavía. Que con Archibaldo nos la lleváramos toda a Nicaragua, donde nadie sabría que mi marido pintor imita a Anglada Camarasa... y será considerado el gran genio de la pintura contemporánea.

El pie de Casilda cayó del dulce apoyo que había por fin encontrado: soltó una carcajada que hizo temblar a Blanca:

—¿Pero... me crees tonta...?

Blanca balbuceó:

—Por tu risa parece que no tengo motivo.

Casilda, sarcástica, hiriente, le explicó que los Mamerto de hoy no eran iguales al Mamerto de ayer. Superficialmente —y por desgracia, en ciertos aspectos íntimos que debían haber heredado de su padre—, se le parecían. Pero la moral de hoy, en más de un sentido, había cambiado mucho, haciéndose, como quien dijera, más flexible, acomodando más puntos de vista, más actitudes distintas. La amenaza reciente de Blanca de liquidarlo todo y partir a Nicaragua —esto lo ignoraba tanto Almanza como Tere: sólo se lo comunicaba a ella para que midiera lo redomadamente tonta que era— había acelerado lo que más de alguien podría considerar la descomposición moral de la familia Sosa, que, aterrados ante la amenaza de que la americana dispersara el patrimonio de los Loria que al fin y al cabo era lo único que realmente respetaban, le habían participado a ella el proyecto de exportación de la fortuna a Nicaragua. Ella, que por otra parte hacía años que —previsora— se entendía con el Mamerto actual cabeza de la familia, lo convenció para que, en caso de que ella, Blanca, no se mostrara dócil, desaparecieran ciertos papeles y aparecieran otros que la acreditaban a ella, la marquesa madre —apoyándose en el hecho de que la marquesita no había dado herederos, lo que automáticamente hacía a Casilda la cabeza de la casa de Loria— heredera de la fortuna familiar. Blanca, anonadada, sólo logró ofrecer el plato de pastelillos a su suegra, que tomó uno, declarando:

—Dios, en su infinita misericordia, permite que lo que una coma el domingo no engorde.

—Son de las monjitas. ¿Buenos, verdad...?

—Exquisitos.

—¿De modo que por fin pagaron tus facturas de París?

—Todas.

—¿Y el caballo de Almanza?

—También. Y el palco de Tere.

—Bonito reloj. ¿Patek Philippe?

—No. Vacheron.

—Yo prefiero Patek Philippe.

—Yo, Vacheron.

—Vaya.

El pie de Casilda, como si buscara un acuerdo, una alianza, de nuevo hurgó en el vellón de Blanca, los ojos de la marquesa madre —que encendía un cigarrillo en su larguísima boquilla— pesados de *kohl* y de pasión.

Blanca cerró sus muslos porque nada de todo esto le importaba absolutamente nada. Quería ir a ver a Luna. Se puso de pie. La marquesa doña Casilda miró su Vacheron diciendo que ¡uy! ¡qué tarde se hacía! ¡Siempre se quedaba más tiempo del presupuestado cuando visitaba a su querida nuera! Se despidieron con un beso en la mejilla en la puerta del palacete. Casilda, además, al dar su beso, acarició un poquito la espalda de Blanca —como para consolarla, quizás— justo en el lugar donde las magulladuras de Luna la habían dejado más dolorida. Mientras el portero mantenía la puerta abierta, antes de bajar las gradas, Casilda, sonriente, se dio vuelta para decirle a Blanca:

—Todos estos arreglos..., vamos, significan que no te podrás comprar medio Nicaragua, lo que según tengo noticias era tu intención. Es demasiado grande, más que un feudo de otros tiempos. Pero tal vez te alcance para comprar una parcela modesta de El Salvador, que me dicen es más pequeño. Ya está todo arreglado para que dispongas de una cantidad que valga para eso. Te lo digo para que te vayas haciendo la idea: la diferencia, aunque no parezca tanta, es, querida mía, enorme. ¡No lo voy a saber yo! ¡Uy! Está lloviendo y no traje mi antucá. Una nunca sabe en primavera..., en realidad, una jamás sabe nada. *Au revoir, beauté!*

Cuando Blanca regresó a encerrarse en su dormitorio se acodó junto a Luna en la ventana abierta donde éste tenía apoyadas las patas delanteras, para ver lloviznar y pasar el rato escuchando cómo el perro llenaba la noche ciudadana con sus aullidos bestiales: sus ojos, que contenían luz pero no la proyectaban, parecían el complemento indispensable para que la noche que poco a poco iba naciendo fuera noche verdadera. ¿Ladraba tanto porque tenía hambre? Luna era joven, voraz, siempre hambriento: era una de las cosas

185

que le daba miedo y que sin embargo la atraían en
él. ¿O ladraba sólo porque hacía demasiado
tiempo que estaba encerrado en este cuarto? No
había manera de contentarlo ni de saciarlo.

—¿Quieres salir, Luna?

El perro, aceptando la invitación implícita en
la pregunta, comenzó a caracolear de alegría en
torno de Blanca igual que ese primer día: otra vez
cachorro, no bestia. En la oscuridad de la habitación esos ojos que prometían todo porque no tenían nada, iban siguiendo sus movimientos preparatorios para salir. Como hacía calor pese a la llovizna Blanca no se puso más que su *cloche* de hule
negro con la hebilla de plata sobre la oreja. Tomó
también un diminuto bolso en el que metió su
Baby Browning con empuñadura de nácar. Bajando la escalera de mármol con su perro gris al
lado, sintió que su autoridad sobre los sirvientes
era tal que de hecho borraba al perro que la acom-
pañaba, y ellos, obedientes, no lo veían descender
escalón tras escalón con su pareja. Hortensia se
despidió desde la balaustrada de arriba como si tal
cosa, pero ella no contestó. Lo mismo el portero:
para ellos, porque ella quería que así fuera, Luna
no existía.

—Al Retiro —le dijo a Mario, y volvió a cerrar
el cristal que los separaba. Pero sólo después de
escuchar con paciencia de gran señora las sugeren-

cias admonitorias del mecánico. ¿A estas horas y con esta lluvia...? ¿No era peligroso... o triste? ¿No prefería la señora que la llevara a pasear a otra parte, a la Gran Vía, por ejemplo, que debía estar muy alegre hoy, que era viernes? Claro que con esta llovizna que se transformaba en lluvia estaría todo desierto. Estas cosas se atrevió a decir Mario porque mostraba un interés aceptable, un cuidado por la persona de Blanca. Pero no se atrevió a mostrar su indignación porque el perro sentado junto a ella en el asiento podía ensuciar el coche que él cuidaba con tan apasionado esmero desde que lo mandaron con el vehículo desde Italia al comprarlo. Pasando frente al despacho de don Mamerto, esquina de Goya, Blanca tuvo la tentación —al palpar su Baby Browning en su cartera— de mandar a Mario que se detuviera para bajarse, subir al despacho de los Sosa, y después de violar al Mamerto de turno, a aquel con quien Casilda "se entendía", acribillar a todos los Mamertos del mundo con sus balas. Pero era tal esfuerzo abrir el vidrio... ¿Además, qué haría con Luna...? ¿Subiría con él, o lo dejaría esperándola abajo, con Mario? No. Muy complicado. Preferible seguir rumbo al Retiro.

Nadie circulaba a esa hora por la noche maligna en el parque lluvioso. Mario conducía lentamente, consciente de que se trataba de un paseo y no de llegar a una parte definida con un propósito claro, inclinado, para tener más cuidado, sobre el volante, escudriñándolo todo como si temiera —¿o como si se propusiera?— hacerle daño a alguien. En los largos conos de luz que partían de los faros la lluvia, cayendo, era como los caireles de mostacillas de plata de ese vestido de baile suyo. Bonito. ¿Bonito, verdad, Luna? Al llegar al rincón más apartado deslizó el cristal que los separaba para pedirle a Mario que se detuviera y que le abriera la puerta. Él lo hizo, sujetando la puerta abierta y tocándose la gorra, aunque bloqueándole respetuosamente la salida.

—¿Va a bajar la señora marquesa con esta lluvia? —inquirió.

El mecánico era alto, fornido, un joven *romanaccio* de nariz quebrada y mandíbula cuadrangular, con los brazos potentes y las piernas apretadas dentro de sus polainas: con él cuidándola no tenía nada que temer.

—¿Vamos a dar un paseo, Luna? Ven...

El mecánico carraspeó antes de hablar, sin retirarse de la puerta y sin soltar el pomo:

—Si la señora marquesa me lo permite, quisiera aconsejarle que no se aleje mucho de las luces del coche.

Ella y el perro, antes de bajar, interpelaron al mecánico, el perro sólo con sus ojos huecos, ella con sus palabras:

—¿Por qué no?

—Puede haber gente mala.

—¡Qué idea más ridícula, en el centro de Madrid!

—¿Al venir, no vio la señora marquesa algunas figuras que se escondían detrás de los árboles y los monumentos?

Blanca lo miró de alto a abajo. Le dijo con firmeza:

—Déjanos salir.

El mecánico, entonces, agachando un poco la cabeza y abriendo más la puerta le dejó camino. ¿Por qué este hombre impertinente se oponía a que ella hiciera lo que se le antojara? ¿Con qué derecho la interpelaba, interponiendo la anchura de sus hombros entre ella y la oscuridad total donde sólo podían existir los remansos lunares de los ojos de Luna? Ella ansiaba ver el lago estático a esta hora. ¿De qué color era el agua anochecida? ¿El Palacio de Cristal sería como una enorme burbuja cuadriculada bajo la claridad del cielo ciudadano en medio de tanta negrura, de tanto silencio? ¿Qué hacían de noche los cisnes, dónde se guarecían? ¿Y las barquitas multicolores donde mujeres como Hortensia, los domingos, venían a remar con sus novios, como Mario? ¿Y el pobre de don Alfonso sobre su columna, tan simpático, todo llovido, el pobre? ¿Por qué Mario se interponía como un guardián o un carcelero entre ella y sus ansias? Abriendo su cartera le mostró al mecánico su Baby Browning:

—Además, tengo esto para defenderme.

—No basta, señora marquesa. Hay gitanos. Se lo juro, vi fuego bajo los árboles y un grupo de siluetas harapientas rodeándolo.

—Yo no vi nada.

Blanca circundó la figura defensora de Mario para hacer lo que quería. Él alcanzó a tomarla brutalmente de la muñeca. Ella se dio vuelta para darle un bofetón mientras Luna la contemplaba aprobando, pero no se lo dio. Le dio, en cambio, un beso en la boca, sus labios ansiosos cuya ansia y humedad sintió repetirse en sus labios inferiores, pegando su cuerpo mojado y confundido por la lluvia al de él, que respondió socavando su boca ávida con su lengua, bebiendo la lluvia recogida en las caracolas de sus orejas, en su cuello, siguiendo con la boca las gotas que se perdían en su escote, sí, sí, lo sentía estremecerse pegado a ella, temblar con algo que no era ni miedo ni frío sino una llamarada que los iba haciendo retroceder, abrazados, hasta el coche que los esperaba con las puertas abiertas. Mario empujó a Blanca sobre el asiento de atrás, el de los señores. Blanca había olvidado —y esta vez fue olvido verdadero, no un acto intencional— ponerse bragas, de modo que al subirse la falda y abrir sus muslos vibrantes y magullados el mecánico se lanzó sobre ella, acezante como un animal, certero, llenando toda las partículas de su ser, de sus pechos gemelos como dos lunas pulidas, de su trasero cuyas sensaciones remataban en su nuca sensibilizada bajo la *cloche*, de su boca ahogada por el frenesí de Mario, mientras Luna, encaramado en el asiento del mecánico y con las patas en el respaldo asomaba su cabezota feroz por la ventana del cristal abierto, ladrando y ladrando: Blanca veía sus dos ojos pálidos mientras el mecánico la violaba con su consentimiento, se hundía en esas lagunas de agua crepuscular quejándose de placer, amenazaba al mecánico con la policía y con la cárcel pero se aferraba a él y apretaba su sexo con el suyo para que no la dejara, lo hería con sus uñas pese a que él seguía besándola y penetrándola hasta hacerla unir sus gritos a los ladridos del perro en este rincón solitario del parque, en la noche vegetada y salvaje como la del trópico, aquí en medio de la ciudad, mientras este extraño cuya violencia detestaba la estaba haciendo sentir lo que sólo podía permitir que los pálidos ojos de Luna vieran que sentía, hasta que el vigor brutal del mecánico, sin necesidad de advertirle, sin necesidad de palabras, llegó al placer con la misma violencia y en el mismo momento que ella.

Él la abandonó en seguida en cuanto cumplió su función, como si no quisiera que Blanca siguiera disfrutándolo después que él ya no tenía necesidad de ella: deshizo el abrazo y congeló su cuerpo. El perro, dándose cuenta que todo había terminado, saltó del asiento delantero, y se puso a ladrar y a caracolear al lado afuera de la puerta abierta por donde habían sobresalido las piernas de los amantes unos segundos antes. La llamaba, la incitaba a seguirlo, invitándola. Mario, como si no viera al perro y no lo oyera se levantó primero. Se sentó en el asiento que le correspondía, el del volante, volvió a ponerse el gorro y encendió un cigarrillo. Se quedó mirando hacia adelante, echando humo sin prestarle atención a la marquesita que se bajaba la falda, componía su tocado y enderezaba la *cloche* de hule con la hebilla, bien calada sobre su cabeza: buena para la lluvia, reflexionó, y tomando su bolso se puso de pie en la intemperie para desobedecer a Mario y seguir al perro que parecía ofrecerle algo más.

Éste, que se había propuesto desentenderse totalmente de ella, no pudo dejar de sentir su vibración admirativa al verla cruzar los rayos de los faros del Isotta-Fraschini estriados por los caireles de la lluvia: era bella, delgada, emocionantemente deseable e intocable, así, cruzando la luz, sujetándose la *cloche* con una mano enguantada para que no la volara el viento nuevo, y colgándole del ángulo de ese codo, el minúsculo bolso donde apenas cabía una polvera además de la Baby Browning.

Antes de verla perderse en la espesura, sin embargo, le pareció a Mario que salía de la oscuridad una sombra feroz, animal, monstruo, algo aterrorizante que saltaba sobre ella agrediéndola con lo que —declaró él después, ante la risa incrédula de todos— era una evidente intención de devorarla. El mecánico salió del coche al instante, corriendo hacia ella para librarla de esa fiera desconocida pese a que no iba precavido para defender a nadie ni defenderse a sí mismo de un peligro tan inimaginable. Entonces escuchó un disparo:

—*Brava!* —exclamó el mecánico con admiración por la sangre fría de la señora marquesa.

Siguió buscando, con terror y desesperado, uniendo a su búsqueda la poca gente que encontró a esa hora en el parque, todos dando voces, pero nadie encontró ni a la marquesa ni al supuesto animal. Lo único que sus ojos vieron unos pasos más allá de donde terminaba la luz de los focos del coche, fue la diminuta Baby Browning dorada con empuñadura de nácar. La recogió, montó en el Isotta-Fraschini para ir a toda velocidad al puesto de policía más cercano, donde contó lo que el au-

193

tor de esta historia acaba de relatar en este capítulo y que está a punto de terminar: pero no habló del perro gris. Los policías montaron en el lujoso coche, se dio aviso a la familia y a las autoridades competentes y a las del parque para que se iniciara de inmediato una búsqueda exhaustiva que duró toda esa noche lluviosa y todo el día siguiente, bajo el cielo soleado, como de porcelana, sin que apareciera la bella marquesita viuda de Loria y tampoco el gigantesco animal cuya sombra feroz el mecánico trataba inútilmente de describir en forma convincente para que el jurado le creyera, al cual él pretendía acusar de homicidio. Lo único que apareció fue la hebilla de plata de la *cloche*, un zapato francés, y el Patek Philippe de oro, lo que probaba que no se había tratado de un robo sino de un crimen pasional que incriminó a Mario y lo tuvo muchos años en la cárcel debido a la saña con que la marquesa madre, doña Casilda, prosiguió el juicio contra él: su amadísima nuera, decía, era lo único que le quedaba en el mundo. Que el tal Mario no contara el cuento de animales feroces que nadie jamás había visto.

Durante un tiempo se creyó que la marquesita de Loria reaparecería. Pero no apareció nunca más. La fortuna de la casa de Loria pasó en forma normal a Casilda, ya que Blanca no dejó hijos, y lo que podía haber de oscuro en los arreglos de Paquito con don Mamerto, el viejo, lo arregló la marquesa con un don Mamerto menos viejo, que tenía mentalidad más moderna. Se portó tan bien en todo este sucio asunto en que se metieron hasta los periódicos, que Casilda se proponía usar sus influencias mundanas, que no eran de poca monta, para llegar hasta Su Majestad y sugerirle que considerara la posibilidad de distinguir con un título al antiguo y honrado linaje de los Sosa.

Todo el mundo celebró que, en memoria de su nuera, algo concediera a la familia de ésta. Cuando llegó el ex-Ministro Arias a Madrid para investigar la desoladora desaparición de su hija y no dejar escapar al criminal violador o raptor, fue convocado por don Mamerto Sosa para entregarle lo que le correspondía. Vino acompañado de su hija Charo, a quien le quedaba muy bien la ropa de su hermana que se proponía estrenar en Managua en cuanto pasara el luto. Los trámites de la investigación y del juicio incluyeron al pintor Archibaldo Arenas, que como estaba a punto de comenzar un retrato de su hija y de Paquito —éste comisionado por don Mamerto Sosa—, la había visitado en su palacete la tarde misma antes de su desaparición. Entre estas cosas y las otras el pintor se anduvo enamorando de Charo, que era muy graciosa pero quizás no tanto como su hermana porque era bastante más morena, de modo que el padre —que tenía otras tres beldades que colocar— se quedó en Madrid más tiempo que el que pensaba quedarse, para asuntos de la herencia y demás trajines.

En lo que se refiere a nuestro amigo el conde de Almanza, que consideró que ya se estaba poniendo viejo, Casilda lo jubiló: le compró por cuatro reales unos terrenos en las inmediaciones de Huelva, que él, que resultó no ser tan holgazán como todos creían, hizo urbanizar, y construyó un club donde instaló un *golf* en miniatura y un bar, con lo que si bien no se hizo rico de inmediato, se sentía lo suficientemente satisfecho de su vida —ya que se encontraba en la zona de España de donde provenían las mozas que lo enloquecían con sus fandangos— como para escribirle a menudo a su vieja amiga Casilda contándole su ventura e incluyéndola en calidad de capitalista, alguna vez, en alguna ampliación de su negocio. Casilda, acompañada por la prima de Almanza, Tere Castillo, se marchó a vivir definitivamente en París porque Madrid era sólo una gran villa, y París, en cambio, era la capital del mundo. Allí, ambas amigas envejecieron juntas, felices, sin jamás perder el dejo andaluz en su francés tan peculiar, ambas vestidas con trajes sastres de franela gris, con el pelo cortado *à la garçonne* aun muchos años después que ese peinado pasó de moda, llevando zapatos de taco plano, corbata, y boina vasca, que, ellas reclamaban, fueron las primeras en lanzar en los círculos elegantes que frecuentaban: sus paseos por el Bois, en la mañana, las mantuvieron siempre delgadas, y vivieron muchos años sin ningún contratiempo.

Y para terminar con otra nota alegre hay que decir que el ex-Ministro Arias, después de casar a su malograda primera hija con un Grande de España, tuvo el gusto de casar a su segunda hija, su queridísima Charo, con el pintor Archibaldo Arenas, que si bien no ostentaba título de nobleza, ostentaba el para él altísimo título de artista. Con el dinero que le correspondió por la desaparición de Blanca —y hay que decir que en todo esto la marquesa doña Casilda se comportó con extraordinaria generosidad, haciendo fáciles todos los trámites a través de la intervención del distinguido notario don Mamerto Sosa— pudo comprar, como dote para su hija, el piso que Archibaldo habitaba en la Plaza de Chamberí, donde la pareja se instaló. La simpatía personal de Archibaldo, la rica gama de su paleta, su versatilidad, sus buenas relaciones con personas de encumbrada posición social pronto hicieron de él uno de los retratistas preferidos en los círculos de la nobleza.

El ex-Ministro partió de regreso a Nicaragua

una vez efectuada la boda, contento, porque en esta época para él de vacas flacas, había tenido la suerte de poder dotar a su segunda hija. ¿Cómo dotaría a las tres que le quedaban? En fin, eso se vería cuando llegara el momento.

Archibaldo y Charo tuvieron, como siempre fue el deseo de éste, muchos hijos. El pintor a veces recordaba a la pobre Blanca, que fue tanto menos ardiente que su Charo. Pero con el paso de los años se fue borrando su imagen, y pese a que bautizaron Blanca a su primera hija en recuerdo de la desaparecida, ya, después, ni siquiera pensaba en ella cuando con Charo llevaban a su tropa de chiquillos a navegar en barquita, o a pasear por el Retiro, seguidos por Luna, su gran y fiel perro gris.

F I N

Madrid,
octubre de 1979-enero de 1980.

ÍNDICE

Impreso en el mes de abril de 1981
en I. G. Seix y Barral Hnos., S. A.
Carretera de Cornellà, 134-138
Esplugues de Llobregat
(Barcelona)